GW01019003

TYPO The Beautiful World of Fonts / Fuente de Inspiración

Editor
Josep Maria Minguet

Author / Autor
Text, design and layout
Textos, diseño y maquetación
Fabiola Reyes Francos
Equipo editorial Monsa

Art director / Director de Arte
Louis Bou

Translation / Traducción
Babyl traducciones

INSTITUTO MONSA DE EDICIONES
Gravina 43 (08930)
Sant Adrià de Besòs
Barcelona
Tel. +34 93 381 00 50
Fax +34 93 381 00 93
monsa@monsa.com
www.monsa.com

ISBN 10: 84-96429-37-7
ISBN 13: 978-84-96429-37-6
D.L: B-41.744/2007

Printed by / Impreso por
Industrias Gráficas Mármol, S.L

The Beautiful World of Fonts
Fuente de Inspiración

Fabiola Reyes

monsa

THE
BEAU
TI
FUL
WORLD
OF
FONTS

IN ALPHABETICAL ORDER

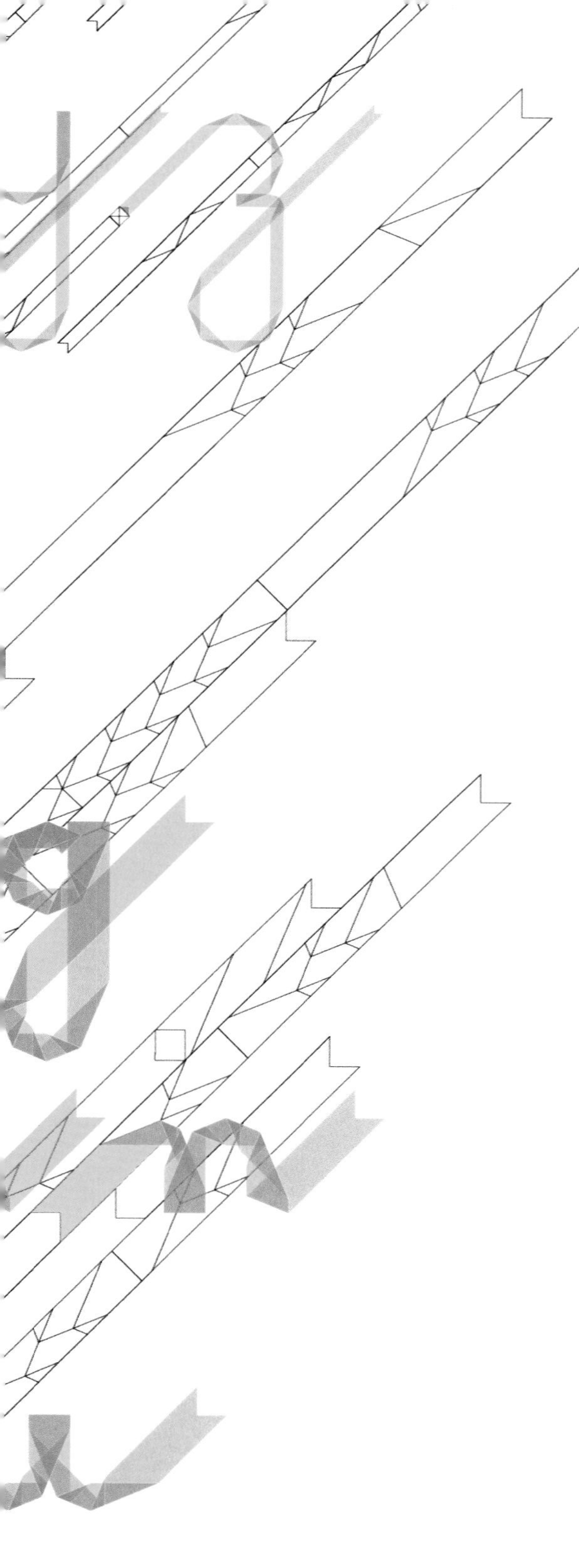

THE BEAUTIFUL WORLD OF FONTS

FUENTE DE INSPIRACIÓN

TYPO is a book taking inspiration from several creative fields, delving into graphic design, fashion, sculpture, industrial design, architecture and others in order to demonstrate what artists and designers from different parts of the world have been able to create by using and experimenting with typography.
Many of the projects included in this book arose by defying the norms of typographic design and suggest alternative solutions which are both different and original. In many circumstances, the end result is born from the reconciliation between meaning and form, which is why all these projects, to a greater or lesser degree, use shape to interact with the individual and provoke reactions, sensations and even emotions.
The use of typography has no limits and currently it is heading towards the risqué and experimental. This flight from the conventional has thankfully given way to new ways of understanding and working with typefaces, decontextualizing them from the world paper and computer screens. The artists use typefaces and experiment with its shapes and proportions, many times to visually play with meaning, while others find the real source in the typeface itself and are inspired to create something that ends up becoming a work of art.
TYPO includes projects which are in fact true typographical designs, typefaces with only decorative functions and also those designed for a purpose, to make an intrinsic message. This book provides us with the opportunity to see how projects with the similar objectives or functions belong to such different fields as illustration and architecture, or industrial design and jewelry. The projects are all quite different but have a strong common nexus – all use typeface to shape their unique character.

TYPO, es un libro de inspiración que se adentra en distintos campos creativos como el diseño gráfico, la moda, la escultura , el diseño industrial y la arquitectura, entre otros, para mostrar todo aquello que artistas y diseñadores de diferentes partes del mundo han realizado a partir del uso y la experimentación con la tipografía.
Muchos de los proyectos incluidos en este libro se han creado desafiando las barreras del diseño tipográfico para sugerir soluciones alternativas, diferentes y originales. En muchos casos, el resultado final nace de la conciliación entre el significado y su forma, es por eso que, de una forma más o menos evidente, todos estos proyectos interactúan con el individuo provocándole reacciones, sensaciones e incluso, sentimientos.
El uso de la tipografía no tiene límites, actualmente se apuesta por lo arriesgado y se experimenta huyendo de lo convencional, gracias a esto, han nacido nuevas maneras de entender y trabajar con tipos de letras descontextualizándolas del papel y de la pantalla del ordenador. La tipografía es utilizada para experimentar con su forma y sus proporciones, muchas veces, jugando con el significado que está vistiendo y otras, siendo la verdadera fuente de inspiración para crear algo que acaba convirtiéndose en arte.
Dentro de TYPO se encuentran proyectos de diseño tipográfico en sí, tipos de letras cuya única función es decorativa y tipografías que tienen un sentido intencionado, que tienen un mensaje intrínseco. Este libro permite ver como proyectos con el mismo objetivo o función, pertenecen a campos tan distintos como son, por ejemplo, la ilustración y la arquitectura o el diseño industrial y la joyería . Todos los proyectos son muy diferentes pero tienen un nexo en común muy fuerte que es el uso de un tipo de letra para obtener carácter propio.

Fabiola Reyes

The pagination of this book also belongs to a graphic font collection created by the design team of the Spanish magazine Neo2, the Danish agency of strategic design e-Types, and the design studio Underware, specializing in typographical design and production.

En la paginación de este libro encontraremos también una colección gráfica de fuentes, originales y actuales, diseñadas por el equipo de diseño de la revista española Neo2, la agencia danesa de diseño estratégico e-Types, y el estudio de diseño Underware especializado en diseñar y producir tipografías.

ANDREW BYROM

www.andrewbyrom.com / Long Beach, CA. USA

Interiors Light

Andrew Byrom was inspired by Marcel Breuer's Wassily chair to create the typeface Interiors Light. This alphabet is shaped with neon tubes and is intended to adorn shops, galleries, exhibition, etc.
Working in three-dimensions with this material has limitations, as neon tubing is normally bent in an unbroken line without joints and fastened to a support which then hangs on a wall. After revising his design and embracing the restrictions of such a beautiful yet delicate material, he was able to recreate the 26 letters of the alphabet and design them to later be combined and form brilliant words.

Andrew Byrom se inspiró en la silla Wassily de Marcel Breuer para crear su tipografía Interiors Light. Se trata de un alfabeto completo construido con tubos de neón pensado para decorar tiendas, galerías, exposiciones, etc.
A la hora de trabajar con este material de forma tridimensional se encontró con ciertas limitaciones ya que, normalmente, el tubo de neón es una línea continua, sin junturas, unida a un soporte que se cuelga en una pared. Después de revisar el diseño y abarcar las restricciones de este bonito y delicado material, consiguió crear las 26 letras del abecedario diseñadas para poder ser combinadas entre ellas y crear palabras luminosas.

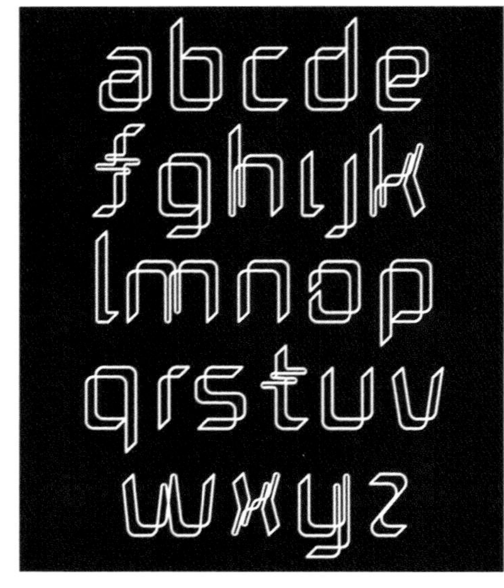

Interiors

Interiors was originally designed as a digital font and the idea came from observing an old wooden chair that Andrew Byrom had in the corner of his office. When seen from a certain angle, it appeared to form the letter H. From there he generated the 26 letters of the alphabet into a typographical font by using the threedimensional principles of the chair shape itself, plus the guidelines of typographic design. After that, he built the characters in 3D on a small scale using steel tubes. As the design concept is typographical, the final result could be seen as an open style of furniture design. Letters such as M, N, O, B and H seem to be simple tables or chairs, while others such as E, G, A, S, T, V, X and Z, might even make lovely fixtures themselves.

Interiors fue concebida originalmente como una fuente digital y surgió a partir de la observación de una vieja silla de madera que Andrew Byrom tenía en una esquina de su oficina. Cuando la miraba desde un cierto ángulo , se parecía a la letra H y, a partir de ahí, usando los principios tridimensionales de su propia forma y utilizando los convenios del diseño de tipografía, dibujó y generó 26 letras del alfabeto como una fuente tipográfica. Después construyó los caracteres en 3D usando un tubo de acero a pequeña escala. Debido a que el concepto de diseño es tipográfico, el resultado final llega a ser casi un estilo libre de diseño de mobiliario. Letras como la M, N, O, B y H pueden ser vistas como simples mesas y sillas, pero otras como la E, G, A, S, T, V, X y Z, pueden llegar a ser bonitas piezas de mobiliario.

Byrom TSS

Andrew Byrom was able to find inspiration to create typefaces from the framework of a modern tent. This spawned his idea to create the 3D typeface Byrom TSS. Each letter is manufactured with fiberglass poles covered by impermeable nylon. An elastic cord runs through the core of each tube, thus allowing the design structure to fold up into a small bag for convenient storage. The aim of this typographic design is its use in decoration; it also may be used in signage, as each letter can easily be distinguished from each other and any words created are completely legible. ByromTSS could be used as a good alternative to conventional signage.

Andrew Byrom es capaz de encontrar la inspiración para crear una tipografía en el mecanismo de montaje de una tienda de campaña moderna. A partir de ahí, le surge la idea de crear su tipografía 3D: Byrom TSS. Cada letra está fabricada con nylon impermeable que cubre una estructura de tubos de fibra de vidrio. Una cuerda elástica pasa por los huecos de los tubos permitiendo así que el diseño de la estructura se pueda plegar convirtiéndose en una pequeña bolsa para su propio almacenaje. La intención del diseño de esta tipografía es que se utilice para decorar; aunque también puede actuar como elemento de señalización, ya que cada letra se distingue sin problemas y las palabras que se crean son totalmente legibles. ByromTSS podría ser una buena alternativa a la señalización convencional.

APIRAT INFAHSAENG

www.syntheticautomatic.com / Brooklyn, New York. USA

Seven Board of Cunning

This young New York designer and visual artist found inspiration in the pieces of the famous Chinese puzzle Tangram to create the typeface Seven Boards of Cunning. Using the different geometric shapes included in the puzzle and playing with their many positions, Apirat did not stop at creating a 26-letter alphabet, but worked on offering more than one variation for each letter.

Este joven diseñador y artista visual de Nueva York, se inspiró en las piezas del conocido puzzle chino Tangram, para crear su tipografía Seven Board of Cunning. Utilizando las distintas formas geométricas que componen dicho puzzle, y jugando con las diferentes posiciones de las piezas, Apirat no se conformó con crear un abecedario de 26 caracteres, sino que trabajó para ofrecer más de una variante para cada letra.

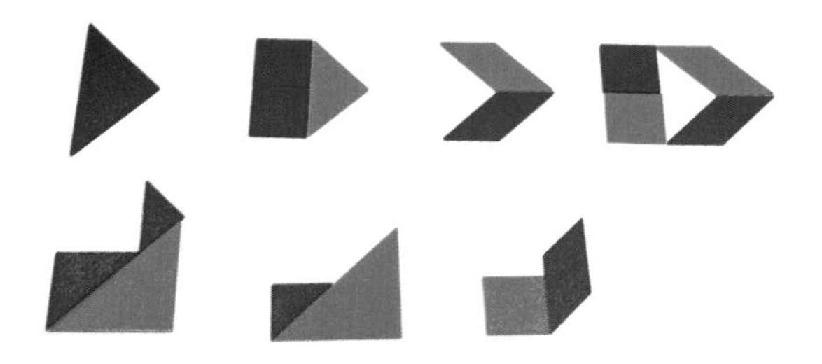

Elastic

In this case, the artist found inspiration in Buckminster Fuller's principles of tensegrity to create the Elastic typeface. Using a board with wooden hooks and elastic bands, the artist played and experimented with the tension of the elastic bands and the shapes they made to attain different combinations for each of the 26 letters.

En este caso, el artista se inspiró en el principio de la tensegridad de Buckminster Fuller, para crear su tipografía Elastic. Con una tabla de ganchos de madera y unas gomas elásticas, jugó y experimentó con la tensión de las gomas y sus formas, obteniendo así diferentes combinaciones para cada una de las 26 letras.

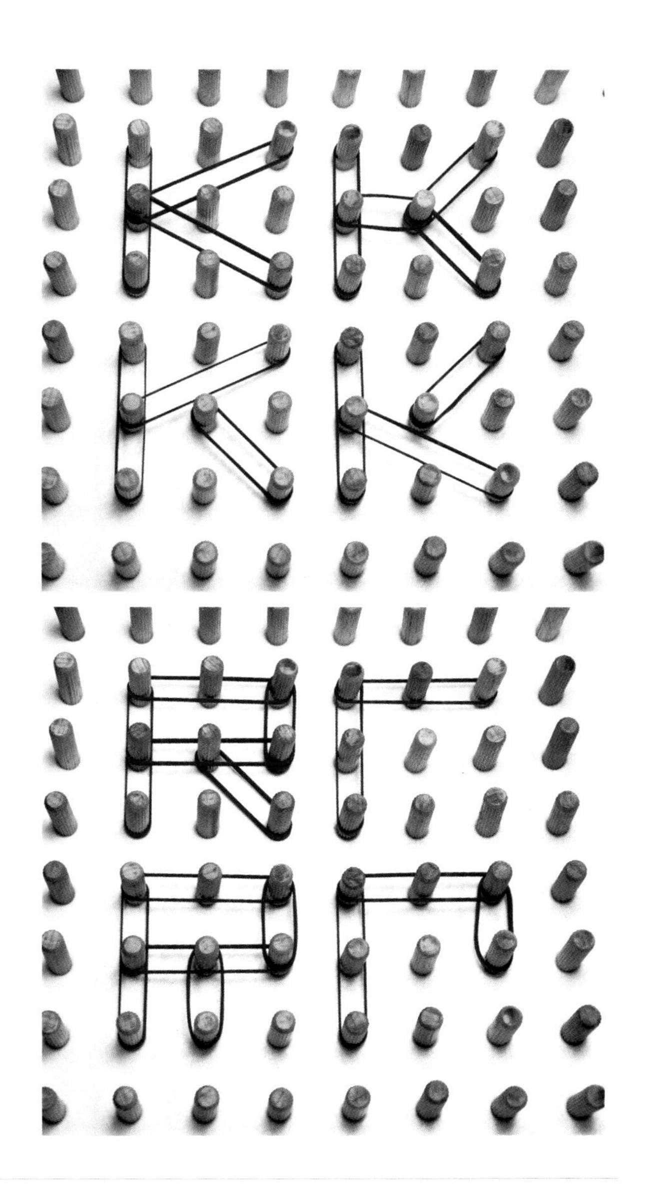

ART. LEBEDEV STUDIO

www.artlebedev.com / Moscow, RUSSIA

Evigheden 2

For the members of Art. Lebedev Studio, the most important part of inventing and creating new things is to find the balance between the aesthetic and the functional, while simultaneously maintaining the legibility of the typographical elements. Playing on the concept of the eternal, they designed an ice cube tray where each ice cube spells out a letter of the word "eternity". Despite the choice of a thick bold typeface to make the ice cubes seem eternal, sooner or later they do end up melting...

Para los integrantes de Art. Lebedev Studio, lo más importante a la hora de inventar y crear cosas nuevas, es encontrar el equilibrio entre lo estético y lo funcional, y a su vez, conservar la legibilidad de los elementos tipográficos. Jugando con el concepto de lo eterno, han diseñado una cubitera en la que cada uno de los cubitos de hielo es una letra de la palabra "eternidad". Aunque, aparentemente, gracias a la elección de una tipografía bold muy gruesa y robusta, estos cubitos puedan parecer eternos, su esencia hace que tarde o temprano acaben por deshacerse...

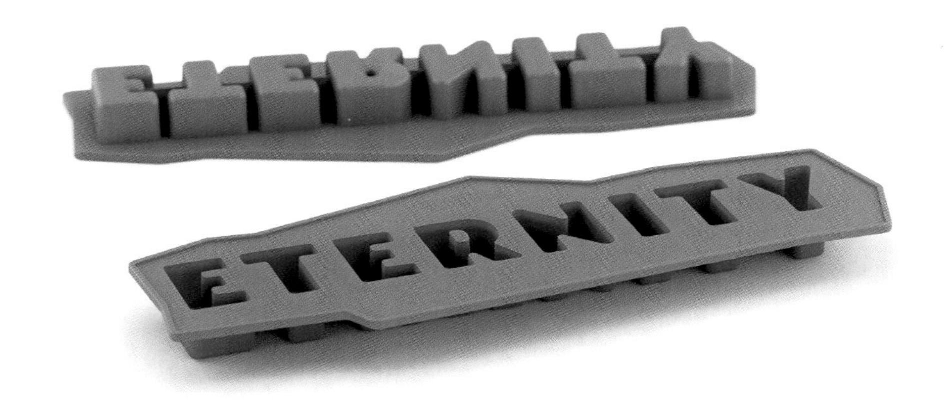

Atmark

Using one of the most current typographic symbols created in such a technological era as this, Art. Lebedev decided to design a cup with the "at" sign for a handle. Such a simple object as a cup can become something more special after experimenting with its design and attempting to go beyond it. However, to many people not so familiar with this symbol, especially those of an older generation, the object might seem to be a simple cup with two handles.

Utilizando uno de los últimos signos tipográficos creados dentro de la era tecnológica en la que vivimos, Art.Lebedev ha diseñado una taza con el signo de la arroba como asa. Un elemento tan sencillo como una taza, puede convertirse en algo especial cuando se experimenta con su diseño y se intenta ir más allá. Sin embargo, para muchas personas, sobretodo de edad avanzada, que no están tan familiarizadas con este signo les puede parecer que se trata de una taza con dos asas.

Ridibundus

Smiley faces have always been added to exclamation points, letters and other typographical symbols to inherently express emotions. These cushions have been designed to soften a good night's sleep or to be tossed about the study; putting aside their implicit function, they start to interact within their physical reality.

Desde siempre los smileys han sido creados a partir de signos de puntuación, letras y otros símbolos tipográficos para expresar emociones de una manera virtual. Estos cojines han sido diseñados para amortiguar un gran sueño nocturno o para ser dispersados por el escritorio; dejando a un lado su función virtual para pasar a interactuar dentro de la realidad física.

BEN LOIZ

www.benloiz.com / www.neenoon.com / Los Angeles, CA. USA

Elast, I Have You Here Alone

In every issue, the California-based magazine Swindle includes a section related to typography. For its second issue, Ben Loiz was commission with designing an entire typographic alphabet. To create all the letters, Ben experimented and played with a series of elastic bands to build a typographic alphabet following the natural curves formed by cutting, piling and bending several elastic bands.

El magazine californiano Swindle incluye en cada uno de sus números una pieza gráfica relacionada con la tipografía. Para su segundo número Ben Loiz fue el encargado del diseño de un alfabeto tipográfico completo. Para crear todas las letras, Ben experimentó y jugó con una serie de gomas elásticas para construir un alfabeto tipográfico siguiendo las curvas naturales que se formaron al cortar, amontonar y doblar varias gomas elásticas.

SWINDLE
Eazy E
Richard Colman
Dead Kennedys
Spring Fashion
"Elast, I have you here alone"
Dinner, Drinks

BORJA GARMENDIA, PENSANDO EN BLANCO™

www.pensandoenblanco.com / Hondarribia, SPAIN

Remains

This composition came about after Borja Garmendia spent several days preparing a stencil measuring one and a half meters to be stuck on a billboard. After struggling with his knife to cut each letter out, it seemed disrespectful to throw the cuttings away. He instead chose to put them into a scanner and made a random typographic composition with all the cuttings that had been left over. For the designer, the result of working with these typographic elements was more gratifying than the job itself.

Esta composición (Restos) surgió después de que Borja Garmendia estuviera varios días preparando un stencil de un metro y medio para utilizar en una valla publicitaria. Después de pelear duramente con el cutter, y a medida que terminaba de recortar cada letra, le dio bastante respeto tirarlas a la basura. Optó por meterlas en el scanner y realizar una composición tipográfica aleatoria con todos los elementos que le habían sobrado. Para el diseñador, el resultado de trabajar con estos elementos tipográficos fue más gratificante que el propio trabajo en sí.

Typographica

Construcción reticular de objetos, imagenes y palabras aleatorias.

Esta composición forma parte de una serie de imágenes indeterminada.

Elementos Tipographicos de diferentes dimensiones, Hondarribia.

Registered thoughts by Pensando en blanco s.l. © 2007

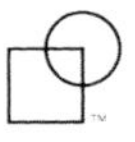

Typographical Projections

Designing a fashion collection takes a lot of work, ideas, enthusiasm and many conversations, some productive and other not so much. Borja and the rest of the staff wanted all of their ideas to literally materialize into the garments and they did so by projecting them directly on one of their bodies, in some way trying to dress it. The result was a number of typographical compositions that could adapt to the different shapes of the body. When it became time to apply the images to areas such as labels, press advertisement, etc., they opted not to change any of them, but use the photographs exactly how they had worked with them in the first place.

Diseñar una colección de ropa, lleva consigo mucho trabajo, muchas ideas, mucho entusiasmo, muchas conversaciones, algunas veces buenas y otras veces menos buenas. Borja y el resto del equipo quisieron que todas estas ideas se materializaran literalmente en prendas, y lo que hicieron fue intentar proyectarlas directamente sobre el cuerpo de uno de ellos, intentando vestirlo de alguna manera. El resultado fueron composiciones tipográficas que se adaptaron a las diferentes formas del cuerpo. A la hora de realizar las diferentes aplicaciones como son las etiquetas, la publicidad para prensa, entre otras, no se manipuló ninguna imagen, se colocaron las fotografías tal y cómo se trabajaron.

LA COLECC
ROPA COMOD
CUERPOS, QUE
DE SOPORTE PAR
GRA PHICOS.
LOREAK ME
LOREAK FLOWERS, FLORES, FLEURS
MEND: MOUNTAIN, MONTE, MONTAG
CKS NO. 8415-0
O NOT REMOVE THI
CRAFTED WITH PRIDE IN

Loreak Mendian

CATHERINE GRIFFITHS

www.catherinegriffiths.co.nz / Wellington, NEW ZEALAND

Wellington Writers Walk

Photo on this page top right © Bruce Connew / Photos (rest) © Jason Busch

Wellington Writers Walk is a series of 15 oversized sculptures of three-dimensional texts made of concrete which honor the writers having strong ties to the city of Wellington. To make the 3D design, Catherine sought out typefaces with letters having broad surfaces with less dominant negative spaces. On one hand, she chose the font Helvetica Extra Compressed because its strength could adapt to her needs, and also Optima, whose elegance and oblique bell shapes appeared more traditional and would greatly contrast with the other font to make a balanced composition. The most important factor was that both fonts were able to lend personality to the words without lessening their merit, all the while being able to resist the passage of time.

Wellington Writers Walk es una serie de 15 esculturas a gran escala de textos tridimensionales realizadas con hormigón, que honran a los escritores que tienen una fuerte relación con la ciudad de Wellington. Para diseñar en 3D, Catherine buscó tipografías en las que la superficie de la letra fuese significativa y los espacios negativos menos dominantes. Escogió, por una parte, la tipografía Helvetica Extra Compressed, porque gracias a su robustez se adaptaba a sus necesidades y, por otra parte, la tipografía Optima, que con sus elegantes trazos oblicuos acampanados y su apariencia más tradicional, contrastaba con el otro tipo consiguiendo así un contraste equilibrado. Lo más importante era que ambas tipografías fueran capaces de darle personalidad a las palabras sin quitarles mérito y, además, ser capaces de resistir el paso del tiempo.

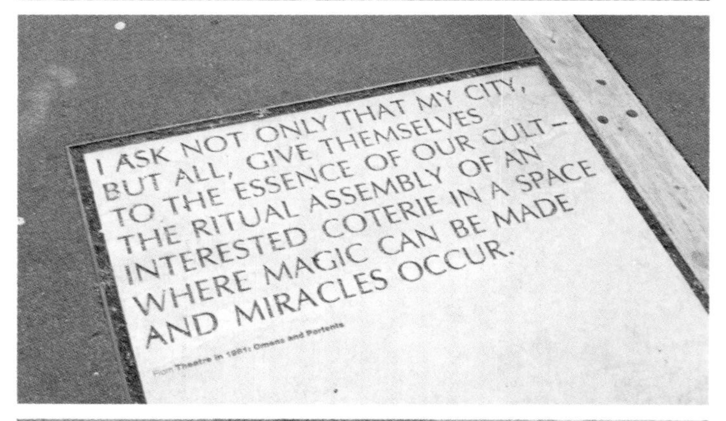

OPENED
IT UP

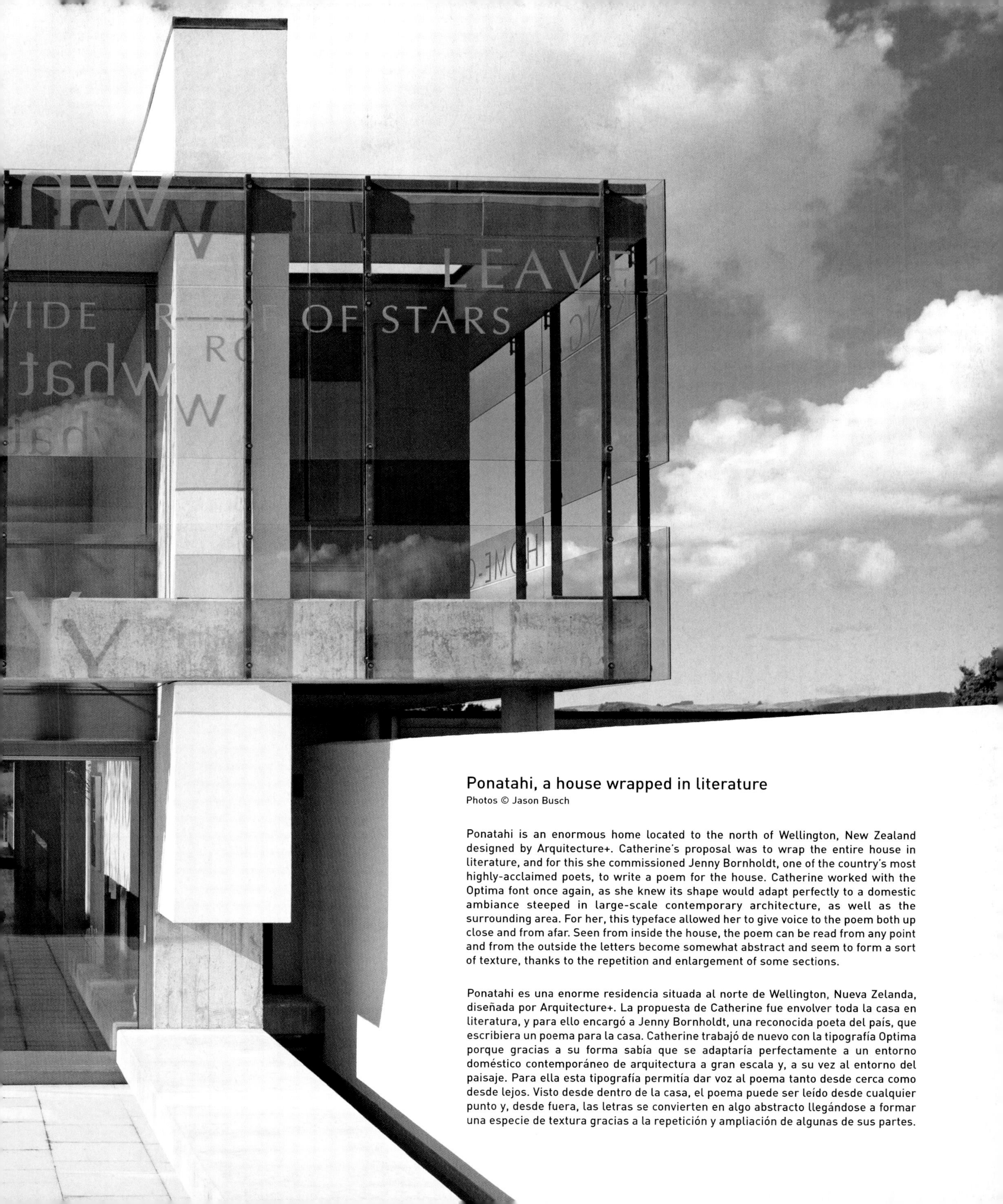

Ponatahi, a house wrapped in literature

Photos © Jason Busch

Ponatahi is an enormous home located to the north of Wellington, New Zealand designed by Arquitecture+. Catherine's proposal was to wrap the entire house in literature, and for this she commissioned Jenny Bornholdt, one of the country's most highly-acclaimed poets, to write a poem for the house. Catherine worked with the Optima font once again, as she knew its shape would adapt perfectly to a domestic ambiance steeped in large-scale contemporary architecture, as well as the surrounding area. For her, this typeface allowed her to give voice to the poem both up close and from afar. Seen from inside the house, the poem can be read from any point and from the outside the letters become somewhat abstract and seem to form a sort of texture, thanks to the repetition and enlargement of some sections.

Ponatahi es una enorme residencia situada al norte de Wellington, Nueva Zelanda, diseñada por Arquitecture+. La propuesta de Catherine fue envolver toda la casa en literatura, y para ello encargó a Jenny Bornholdt, una reconocida poeta del país, que escribiera un poema para la casa. Catherine trabajó de nuevo con la tipografía Optima porque gracias a su forma sabía que se adaptaría perfectamente a un entorno doméstico contemporáneo de arquitectura a gran escala y, a su vez al entorno del paisaje. Para ella esta tipografía permitía dar voz al poema tanto desde cerca como desde lejos. Visto desde dentro de la casa, el poema puede ser leído desde cualquier punto y, desde fuera, las letras se convierten en algo abstracto llegándose a formar una especie de textura gracias a la repetición y ampliación de algunas de sus partes.

raise a glass
to birdsong
to evening's cinema
of light

Protest Vessel

This vessel was created by the ceramist Raewyn Atkinson as a protest against the unequal sums of money awarded to two categories in the Norsewear Arts Awards in New Zealand. Atkinson involved Catherine as the typographer, commissioning her to design the message "APPLIED ARTS 1/2 PRICE" and present it for the awards. For the design she used the font Helvetica Compressed for its strength and visual impact. The protest seemed to have worked, as the prize money awarded the following year was adjusted.

Esta vasija fue creada por la ceramista Raewyn Atkinson para protestar contra las sumas desiguales de dinero que se concedieron en dos categorías de los Premios de Arte Norsewear en Nueva Zelanda. Atkinson implicó a Catherine como tipógrafa, encargándole el diseño del mensaje "APPLIED ARTS 1/2 PRICE" (Artes Aplicadas a mitad de precio) para presentarlo en los premios. Para el diseño utilizó la tipografía Helvetica Compressed por su fortaleza e impacto visual. La protesta parece ser que funcionó ya que el dinero del premio del año siguiente fue reajustado.

www.cjoneill.co.uk / Manchester, UK

Feeding Desire

Feeding Desire is a collection of vintage dishes on which different words have been "written" using a laser-cutting technique. Urban scenes from different parts of the world are depicted on the plates, together with words emitting a message to the viewer. As on the majority of the pieces, as is the case of the dishes "Feeding" and "Today", the artist has used the font Times New Roman, both in capital letters and lower case ones, both for its simplicity and the sense of nostalgia produced by the typeface. There are many ways of interpreting these pieces, but the true objective of the artist is for each viewer to make their own conclusions.

Feeding Desire es una colección de platos vintage en los que, mediante una técnica láser de corte, se han "escrito" diferentes palabras. En estos platos se ven imágenes de escenas urbanas de diferentes partes del mundo, combinadas con palabras que lanzan un mensaje al espectador. En la mayoría de piezas, como es el caso de los platos "Feeding" y "Today", la artista ha utilizado la tipografía Times New Roman, tanto en mayúsculas como en minúsculas, por su simplicidad y por la sensación de nostalgia que le produce este tipo de letra. Existen muchos caminos para interpretar estas piezas, pero el verdadero objetivo de la artista es que cada espectador pueda sacar sus propias conclusiones.

FEEDING

DAVIDELFIN

www.davidelfin.com / Madrid, SPAIN

Poem Dress

Photos © Biel Sol

David Delfín began by painting with his left hand, although he is right-handed, thus experimenting with idea of painting as if he were a child. From this idea, his own font 100% DAVIDELFIN was born. This typeface became the identify symbol of his brands, appearing on any garment or product where the written word is present, as well as his logos, which are purely typographic. This dress is hand-scrawled on by the designer himself with acrylic paint, and the text belongs to a book by Raymond Carver, one of the David Delfín's favorite writers of. The designer conceived the dress as if it were a canvas, and by hand-painting it become a unique item.

David Delfín empezó a pintar con la mano izquierda, él es diestro, experimentando con la idea de pintar como lo haría un niño. A raíz de ahí, nace su propia tipografía 100% DAVIDELFIN. Este tipo de letra, se ha convertido en un símbolo de identidad de sus marcas, aparece en cualquier prenda o producto donde la palabra está presente, así como en logotipos de sus marcas, que son puramente tipográficos. Este vestido, está escrito a mano por el diseñador con pintura acrílica, y el texto pertenece a un libro de Raymond Carver, uno de los escritores predilectos de David Delfín. El diseñador concibe el vestido como si fuera un lienzo y al pintarse a mano se convierte en pieza única.

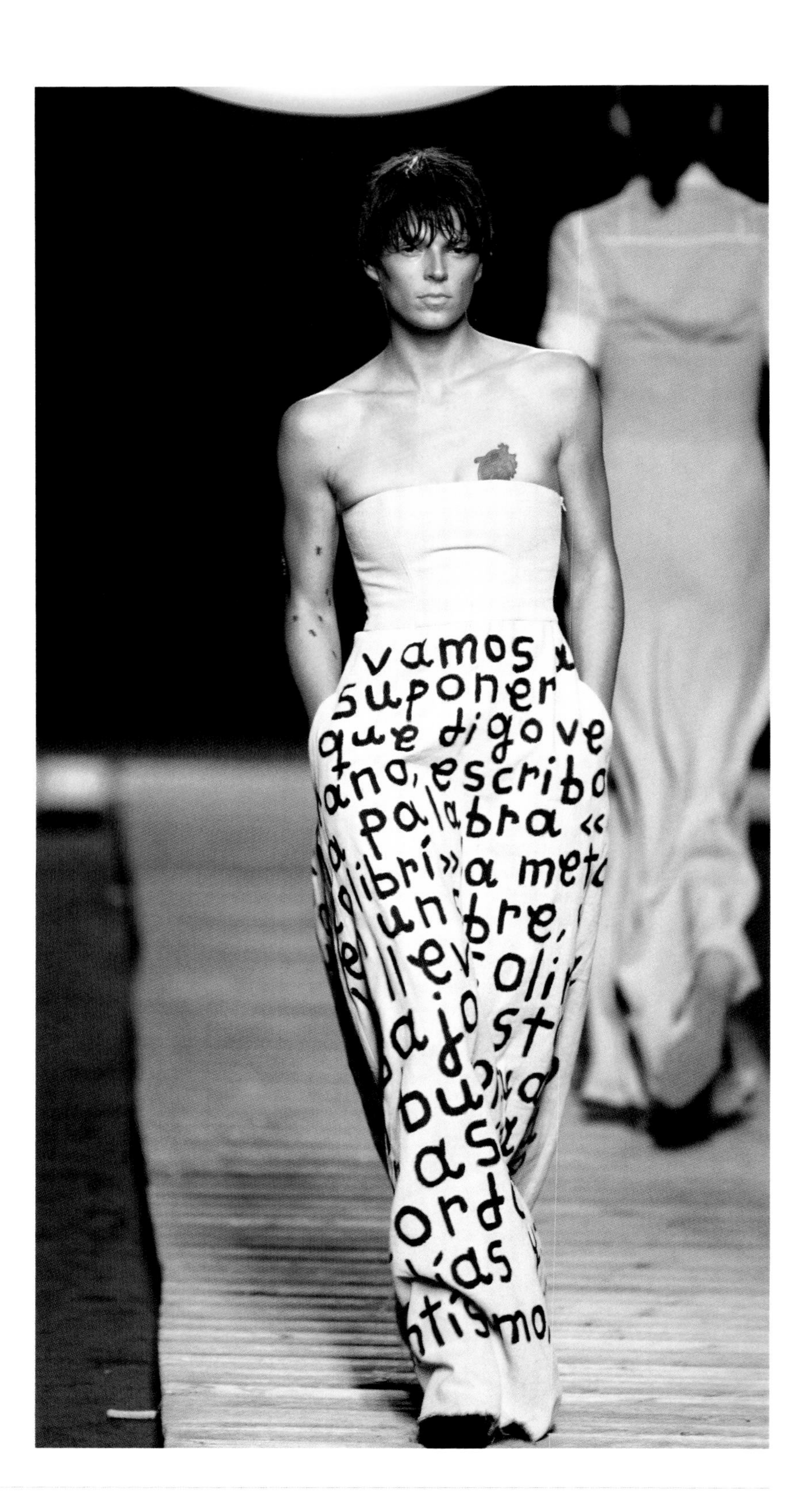

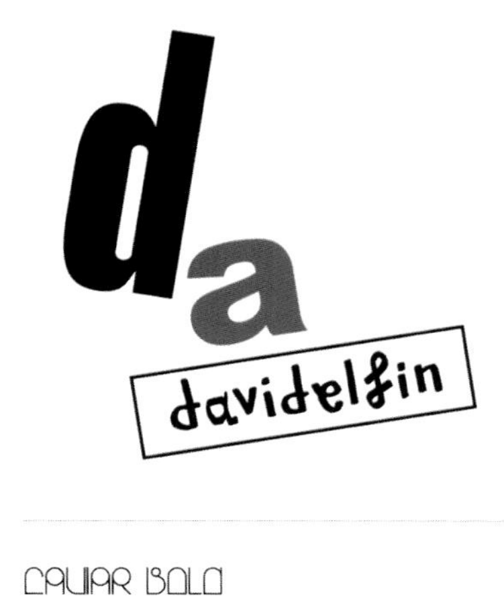

Round Stamp Rug

Davidelfin for DAC Alfombras
Photos courtesy of DAC Alfombras

Another of the many objects where the font Davidelfín can be found is the "Alfombra Round Stamp" which the designer created for DAC Alfombras.
His typeface, along with other graphic elements typical of the designer, such as crosses, is the sole decorative elements of these carpets. The typeface has so much personality that the identity of the designer is perfectly reflected in them, even though the logo itself is not shown.

Otro de los muchos elementos en los que la tipografía Davidelfín está presente, es la "Alfombra Round Stamp" que el diseñador creó para DAC Alfombras.
Su tipografía junto con otros de los elementos gráficos característicos del diseñador, como las cruces, son los únicos elementos decorativos de estas alfombras. El tipo de letra tiene tanta personalidad que, aunque el nombre de la marca no aparezca, la identidad del diseñador queda reflejada perfectamente.

davidelfin

DIVINAS PALABRAS

www.divinaspalabras.es / Barcelona, SPAIN

Divinas Palabras Jewels

Photos © Inocuo Design & Ojo por ojo

The objective of Divinas Palabras is to discover the implicit message that every person or object possesses and force it rise to the surface in one or many words. When creating a jewelry collection whose launching pad was the traditional, their desire became to reformulate the eternal concepts of faith, desire, commitment, justice, religion, and fortune. As for the typeface, on each piece of jewelry Divinas Palabras used their own fonts or existing ones in accordance to what the designer of each piece believed most appropriate. What they wanted was for the typography to be consistent with the message without leaving the aesthetic criteria aside.

El propósito de Divinas Palabras es descubrir el mensaje implícito que toda persona u objeto posee y hacer que emerja al exterior en forma de una o varias palabras. Su intención al crear esta colección de joyas, donde la tradición ha sido el punto de partida, es reformular los conceptos eternos como la fe, el deseo, el compromiso, la justicia, la religión o la fortuna. En cuanto a la tipografía de cada joya, Divinas Palabras utiliza tipos de letras propios o tipografías existentes, en función de lo que el diseñador de cada pieza cree más interesante. Lo que pretenden es que la tipografía sea consecuente con el mensaje sin dejar de lado el criterio estético.

faith

Divinas Palabras Fashion

Photos © Divinas Palabras

What makes us fortune-ate - destiny, luck or our own way of working? There are opinions for everyone. The most fatalistic among us suggest not acting, letting destiny decide. The more vital ones consider luck is nothing more than the consequence of a series of our own actions. Whether the answer falls one way or the other, throughout the centuries, humanity has used a series of images to project their beliefs. This is the reasoning behind Luck Not Money, the seventh collection from Divinas Palabras which traces the symbolism of luck. These are no mere garments but true fetishes which bless the one who wear them. They are not T-shirts, sweaters, or dresses but four-leaf clovers, black cats, and genie lamps. Some of these amulets have been created for the film director Isabel Coixet and the fashion designers La casita de Wendy.

¿Qué nos convierte en seres a-fortuna-dos? El destino, el azar o nuestra forma de obrar. Hay opiniones de todo tipo. Los más fatalistas proponen no actuar, el destino decide por nosotros. Los más vitalistas consideran que la suerte no es más que la consecuencia del conjunto de nuestros actos. Sea de una u otra forma, a lo largo de los siglos una serie de imágenes han servido a la humanidad para proyectar sus anhelos. Esta es la razón por la que Luck Not Money, la colección número siete de Divinas Palabras, hace un recorrido por la simbología de la fortuna. Así sus prendas ya no son tales, sino que se convierten en fetiches que favorecen al que las lleva. No son camisetas, jerséis o vestidos son tréboles de cuatro hojas, gatos negros o lámparas maravillosas. Algunos de estos amuletos han sido creados por la directora de cine Isabel Coixet y los diseñadores de moda La casita de Wendy.

LOSER
13

$5 $10

talisman

DUTCH OSBORNE

www.dutchosborne.com / Montreal, Quebec. CANADA

Photogram Alphabet

Dutch Osborne composed his typographical alphabet from different used and recycled objects. The creative process was carried out using a photographic process known as the photogram. Each letter was created by capturing the shadow of an object without causing any type of distortion between the image and the true scale of the photographed object. This collection of letters defines both a new typeface and a new attitude toward reutilization. While some images are set in more adult surroundings, others are more frequently found in a child's world. The aim pursued by the designer when creating this piece was to create a dialogue between discovery and exchange.

Dutch Osborne compuso su alfabeto tipográfico, a partir de distintos objetos usados y reciclados. El proceso de creación se realizó mediante el proceso fotográfico conocido como fotograma. Cada letra se crea captando la sombra de un objeto sin que se produzca ningún tipo de distorsión entre la imagen y la escala real del objeto captado. Esta colección de letras define una nueva tipografía y una nueva actitud ante la reutilización. Mientras algunas imágenes se encuentran en el entorno de los adultos, otras en cambio, son más frecuentes en el mundo de los niños. El objetivo que persigue el diseñador con la realización de esta pieza, es crear un diálogo entre el descubrimiento y el intercambio.

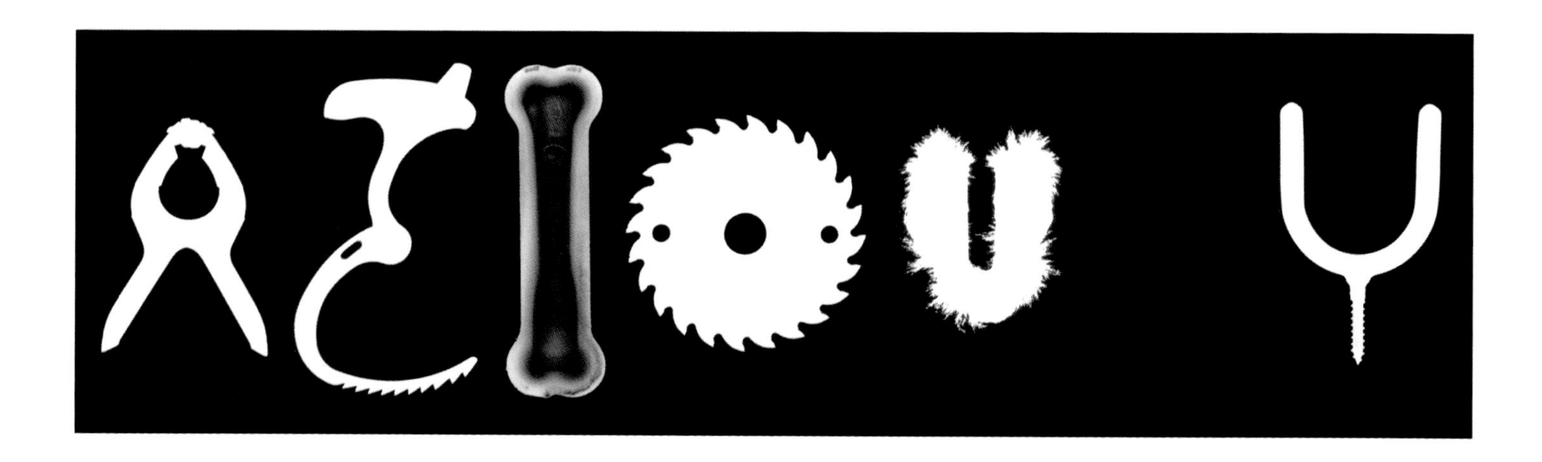

E-TYPES

www.e-types.dk / Copenhagen, DENMARK

Project Fox - Redesigning hotel room

Photos © Simon Ladefoged

e-Types is the only Danish agency which participated in the new design of Copenhagen's Hotel Fox with the redesign of 2 of the 61 rooms. The common denominator in both is the use of typefaces created by the designers themselves as the only decorative element in the rooms. Room 304 (on this double page) speaks of the importance that typography has in the thousands of messages we receive everyday. Their philosophy is that self-confidence is to be found in the typeface; the importance of choosing what clothes to wear for certain circumstances is similar to what typeface to use when designing a wedding invitation or writing a formal letter. They chose the font Fletch Text for its corporate typography which would perfectly define itself as the sender of the message of the room. As for room 414 (pages 42-43), e-Types defended the importance of having data fonts for the work of designers and used the font Karniff as it is both strong and legible, ideal for transmitting what they wanted to say.

e-Types es la única agencia danesa que participó en el rediseño del conocido Hotel Fox de Copenhagen; con el diseño de 2 de las 61 habitaciones que tiene. El común denominador en ambas, es el uso de la tipografía, creada por ellos mismos, como elemento único de decoración. En la habitación 304 (en esta doble página), se habla de la importancia que tiene la tipografía en los miles de mensajes que recibimos durante el día. Su filosofía es que la confianza en uno mismo está en la tipografía, por eso, igual de importante es escoger la ropa que nos ponemos para distintas situaciones, como saber escoger un tipo de letra para diseñar una invitación de boda o escribir una carta formal. Escogieron la tipografía Fletch Text porque es su tipografía corporativa y así se definían perfectamente como los remitentes del mensaje de la habitación. En el caso de la habitación 414 (páginas 42-43), e-Types defiende la importancia que tienen las fuentes de datos para el trabajo de los diseñadores y lo hace con la tipografía Karniff porque es una tipografía fuerte y legible, ideal para transmitir lo que querían decir.

Self-confidence is in the typeface

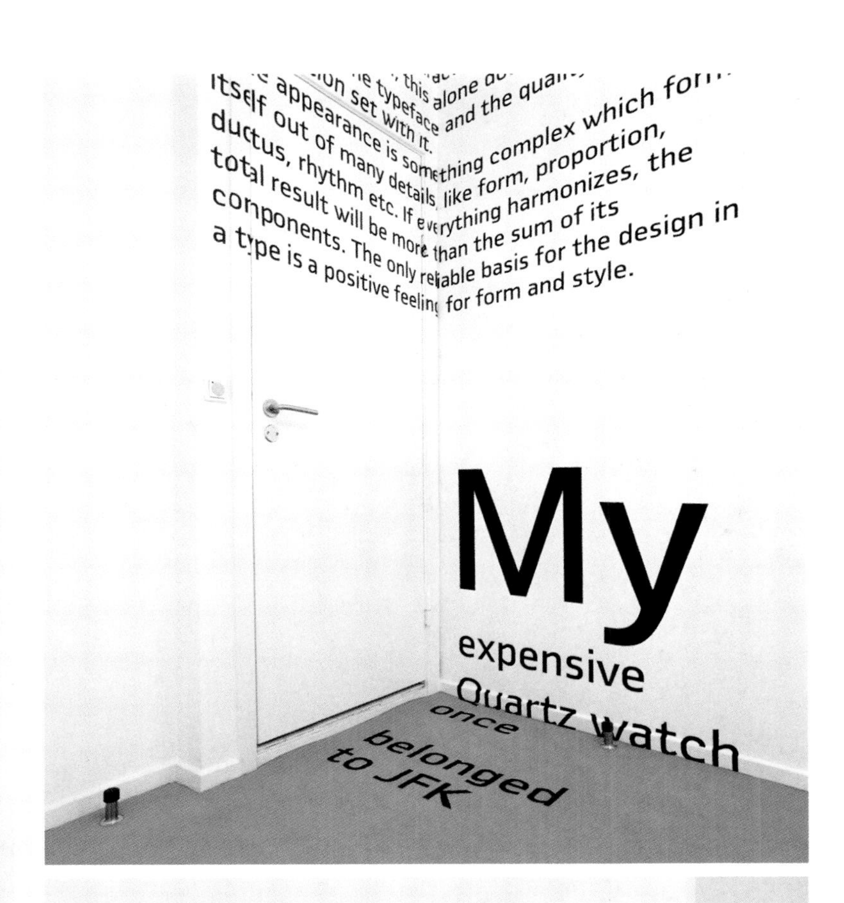

One flush of
this toilet
uses 12
litres of
water.

94% of all hotel guests expect no surprises when entering their room.

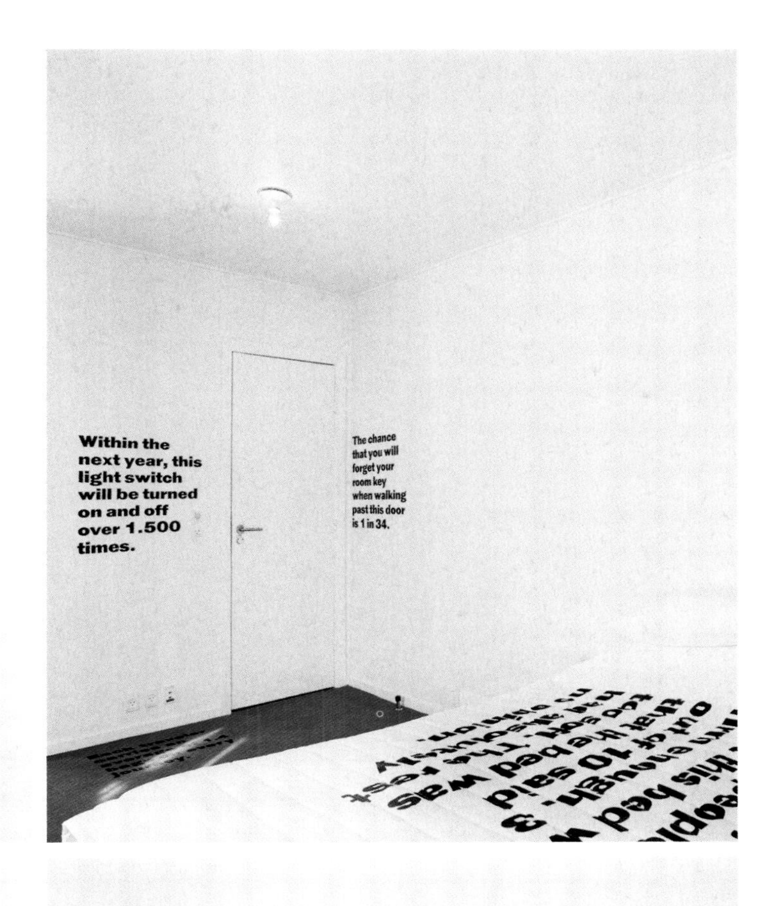

Within the next year, this light switch will be turned on and off over 1.500 times.

The chance that you will forget your room key when walking past this door is 1 in 34.

82% of all European hotel rooms feature a romantic landscape painting

EFVA ATTLING

www.efvaattlingstockholm.com / Sundsvall, SWEDEN

Absolut Attling

Photos © Pelle Bergström & Mattias Edwall

Efva Attling is a highly-acclaimed jewelry designer commissioned in 2005 to design a hallmarked-silver bottle dispenser for the Absolut Vodka brand. She designed the dispenser and a glass with the symbolic A for Absolut, clearly alluding to the brand logo but also making her signature clear, as A is also the first letter of her last name. This is a clear example of the force that letters have when a specific font is used. Using this typeface, Efva's design was corporative enough for Absolut, and thanks to a slight twist she gave to the A, the design was able to retain a more personal nature.

Efva Attling es una reconocida diseñadora de joyas a la que en el 2005 le encargaron diseñar un dosificador de botellas en plata de ley, para la marca Absolut Vodka. Ella diseñó el dosificador y un vaso de cristal con la simbólica A de Absolut, aludiendo claramente al logotipo de la marca y a su vez, dejando constancia de su firma, porque A es también la primera letra de su apellido. Éste es un claro ejemplo de la fuerza que tienen las letras cuando se usa una tipografía en concreto. Gracias al tipo de letra, el diseño de Efva resultó corporativo para Absolut y gracias a la leve torcedura que le dio a la A, consiguió que el diseño tuviera un carácter muy personal.

EVAN ROTH

www.ni9e.com / Brooklyn, New York. USA

Typographic Illustration

Typographic Illustration is a drawing technique created by Evan Roth, who uses text to generate images. This technique consists in hand-drawing atop a photo used as a template with a computerized drawing tool created by Evan himself. This allows the user to draw letters without using ink. The letters are scaled according to the drawing speed of the illustrator and the end result is displayed as a piece of animation starting from zero and ending by the completed image, text, and music played in unison to transmit the overall message.

Typographic Illustration (ilustración tipográfica), es una técnica de dibujo creada por Evan Roth, que usa el texto para generar imágenes. Ésta técnica consiste en dibujar a mano alzada sobre una imagen tomada como plantilla, con un instrumento de dibujo por ordenador, creado por el propio Evan, que permite al usuario dibujar con letras en vez de con tinta. Las letras se escalan según la velocidad con la que el ilustrador va dibujando y el resultado final se visualiza como una animación que va de la nada al todo, dónde la imagen, el texto, y la música se utilizan conjuntamente para transmitir el mensaje global.

EWOUD VAN RIJN

www.ewoudvanrijn.blogspot.com / www.hetwildeweten.com / Rotterdam, THE NETHERLANDS

The Muse's Imperative

The work of Ewoud van Rijn revolves around the concept of the death of art, imagining a life after such a death and how we would recognize its possible rebirth. In the series "The Muse's Imperative," this supposition is articulated in image and text. The latter flows fluidly from images of water drops, direct messages from the unconscious as well as quotes from books on contemporary magic. Through the enclosing irrationality, Ewoud proposes to challenge our notions on rational daily life. The typeface in the images arises from the drawing process itself and the language of the images, rather than being based on any type of existing typeface.

El trabajo de Ewoud van Rijn gira en torno al concepto de la muerte del arte, imaginando una vida después del arte tal y como lo conocemos y su posible renacimiento. En la serie "The Muse's Imperative" esta suposición se articula en imagen y texto. El texto, surge fluidamente desde imágenes de salpicaduras de agua. Mensajes directos desde el inconsciente así como de citas de libros de texto de magia contemporánea. A través del acercamiento de lo irracional, Ewoud propone desafiar nuestras nociones racionales diarias. La tipografía de las imágenes surge a partir del proceso de dibujo y del lenguaje de la imagen y no está basada en ningún tipo de letra existente.

only
chaos
is
real

against the intellect

FIONA ZOBOLE

www.fionazobole.co.uk / St Albans, UK

Contemporany Wallpieces With Unique Surface Qualities

Photos © Fiona Zobole & Photo p.54 © Jonny Back

Fiona Zobole designs and produces innovative contemporary work to decorate large-scale walls where typography becomes the main decorative element. These pieces are always done in neutral colors and are appropriate for both public and private spaces, as well as business districts. Depending on the purpose of the piece in question, the text can deal with a corporate vision or the value of commercial spaces; they may speak of the community or the environment where the public work is being developed; they may examine more personal aspects like family, music, or memory when used to decorate private spaces. Fiona has developed a unique way of communicating with her art through the senses of sight and touch.

Fiona Zobole diseña y produce novedosas piezas contemporáneas para decorar paredes a gran escala en las que la tipografía es el elemento decorativo principal. Estas piezas siempre son de colores neutros y están indicadas para decorar tanto espacios públicos como privados, así como lugares comerciales. Según la finalidad de la pieza, el texto trata diferentes temas como son la visión corporativa y los valores para espacios comerciales; puede hablar de la comunidad o el ambiente en el cual se desarrolla un trabajo en lugares públicos; o puede tratar aspectos más personales como la familia, la música o los recuerdos cuando las piezas decoran espacios privados. Fiona ha desarrollado un modo único de comunicar su arte a través de la vista y el tacto.

ODISEA 2001 BOLD

www.fromjtok.com / www.c71123.com / New York, USA

Paulette (folded)

Jonathan Keller created the Paulette font by basing it on the act of bending a piece of tape. Conceived as a system to create a physical typeface, Paulette is also a set of folds which can be used as a guide for playing with the typeface by doubling it to create new words.

Jonathan Keller ha creado su tipografía Paulette basándose en el acto de ir doblando una cinta. Concebido como un sistema para crear una tipografía física, Paulette es también un set de pliegues que puede ser usado como una guía para poder jugar con la tipografía doblándola para crear nuevas palabras.

a b c d e f g
h i j k l m n
o p q r s t u
v w x y z

a b c d e f g
h i j k l m n
o p q r s t u
v w x y z

abcdefg
hijklmn
opqrstu
vwxyz
abcdefg
hijklmn
opqrstu
vwxyz

GAIL GARCIA

www.dinner-ware.com / New York, USA

Porcelain Napking Rings

Gail García conceived this typography as a natural part of her visual vocabulary. For her series of porcelain napkin rings, she combined modern and classic typographies and designed each element individually by framing them in different abstract backgrounds. Her objective was to incorporate artistic and jointed accessories to these classic pieces of tableware. To do this, she designed a complete alphabet as the letter can create words and words create phrases and phrases transmit messages.

Gail García concibe la tipografía como una parte natural de su vocabulario visual. Para su serie de servilleteros de porcelana, combinó tipografías modernas y clásicas y diseñó cada elemento individualmente enmarcándolo en fondos abstractos distintos, para que contrastasen con la letra que enmarcaban. Su objetivo era incorporar accesorios artísticos y articulados en los clásicos elementos de una mesa. Para ello, diseñó un alfabeto completo porque las letras pueden crear palabras, las palabras crear frases, y las frases transmitir mensajes.

www.grandpeople.org / Bergen, NORWAY

Random Cube 2006

For the 2006 Random Cube event Grandpeole had carte blanche. It can often be a hard starting point, so the approach was pure typographical and therefore strictly informational. Being at this point interested in medieval style and Norwegian dragon style, the typography Midi Evil was created. "Midi" refers to the strong focus on electronic music at this event, whilst the style is a blend of the strict minimal, the avant and humour found in the events musical line-up.

Para el evento Random Cube 2006, Grandpeole tuvo carta blanca. Esto, a menudo, puede convertirse en un punto de partida difícil. El enfoque fue puramente tipográfico y por lo tanto estrictamente informativo. Crearon la tipografía Midi Evil inspirándose en el estilo medieval y en los dragones noruegos."Midi" hace referencia a la música electrónica del evento, mientras que el estilo es una mezcla de minimalismo, vanguardia y humor, encontrados normalmente en los festivales de música alternativa.

Collection flowers-Spring

"Collecting Flowers", Oslo Architects Association´s spring programme 2006, was a series of lectures with the subtitle "An anthology of Architecture and Art". The typographic solution made by grandpeople has references to both aspects of this subtitle. They constructed a variety of letters from different materials like paper, acrylic paint, textiles and wood, referring to the world of art, and to give a subtle feeling of architecture they cut out geometrical shapes, squares and arcs from the organic, photographic letters. A slight touch of order, gravity and geometry added to the expressive and organic.

"Collecting Flowers", programa primavera 2006 de la Asocación de Arquitectos de Oslo, fueron una serie de lecturas con el subtítulo "Una antología de la Arquitectura y el Arte". La solución tipográfica realizada por Grandpeople tiene referencias a los dos aspectos de dicho subtítulo. Construyeron una variedad de letras con diferentes materiales como papel, pintura acrílica, tejidos y madera, haciendo referencia al mundo del arte y, para conseguir un feeling sutil con la arquitectura, recortaron formas geométricas, cuadros y arcos en las texturas orgánicas de las letras fotografiadas. Un delicado toque de orden, gravedad y geometría se añade a lo expresivo y a lo orgánico.

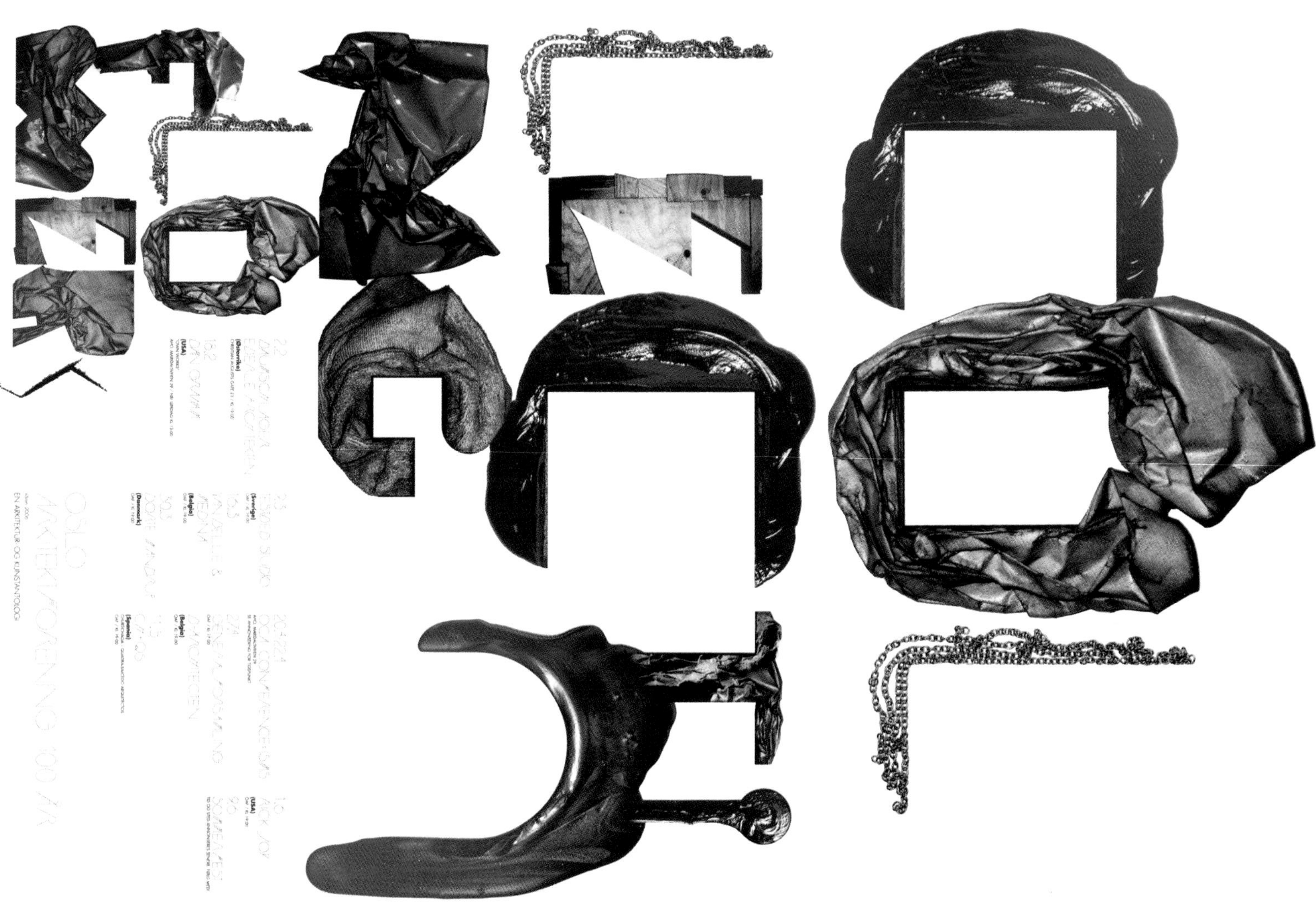

HECTOR SERRANO

www.hectorserrano.com / London, UK

Top Secret

Photos © Mauricio Salinas
Made by Metalarte / www.metalarte.com

This lamp is made from polyester film shredded in a typical office shredder used to destroy confidential documents. The polyester strips are stuck into transparent nylon mesh, the type used by fishermen, and the typeface becomes the only decorative graphic element.

Esta Lámpara está realizada con film de polyester destruido con una trituradora de las que se utilizan en las oficinas, para deshacerse de documentos confidenciales. Las tiras de polyester están sujetas con una red de Nylon transparente, como las utilizadas por pescadores y la tipografía es el único elemento gráfico decorativo.

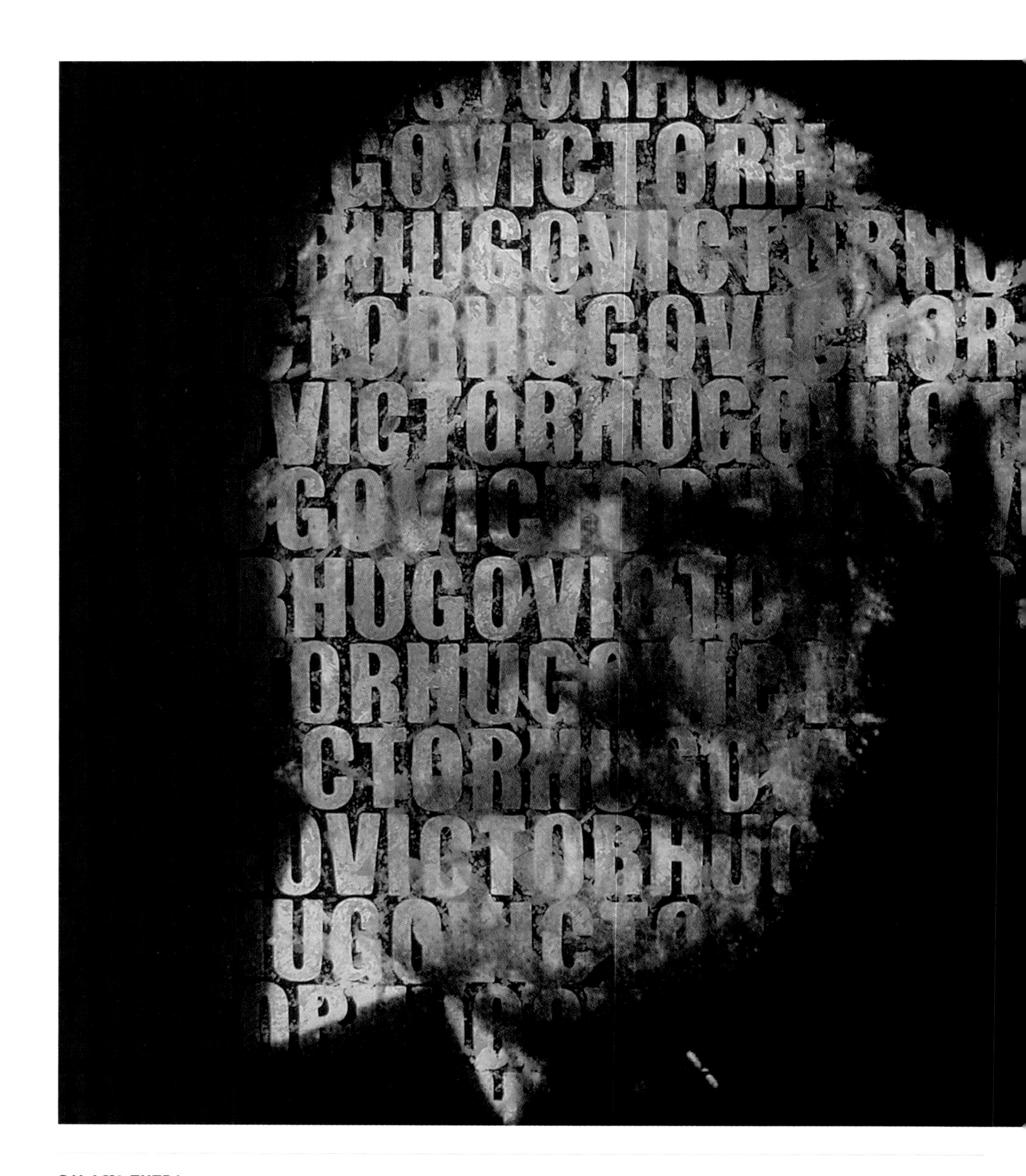
GOVICTORH
HUGOVICTORHU
ORHUGOVIC OR
VICTORHUGO
BHUGOVI
ORHUG
CTORH
VICTORH

JC CUENCA

www.cuencajc.free.fr / www.portrecritures.free.fr / Paris, FRANCE

Victor Hugo, Marilyn Monroe & Paul Auster

For Jean-Claude Cuenca, it is very important to understand the elasticity of the faces of the subjects he represents, and even of the play between specific elements of his art. The motifs that he chose for these characters include the tragic destiny of Marilyn Monroe, the greatest universal icon, the photogenic qualities of Victor Hugo and the unique elasticity of Paul Auster.
To make the portrait of Victor Hugo, he used a brush because it is the essential tool of the painter; for the writer and actress, the world of words and texts allowed him to combine the same representation in both the image as well as the story. In the art of Jean Claude, typeface is as important as the using a pencil: the choice of font influences the result of the elasticity as well as the personality of the subject. Combined with the image of the portrait, the typeface defines the shape of the words and phrases: the more incisive the letters, the more demarcated the subject is represented.

Para Jean-Claude Cuenca es muy importante entender la plasticidad de los sujetos, representando sus caras e incluyendo en el juego los elementos específicos de su arte. Los motivos por los que escogió a estos personajes fueron, el destino trágico de Marilyn Monroe, icono universal por excelencia ; la calidad fotogénica de Victor Hugo y la plasticidad única de Paul Auster.
Para la realización del retrato de Victor Hugo, utilizó la brocha porque es el instrumento esencial del arte del pintor y, para el escritor y la actriz, el mundo de las palabras y los textos le permitieron combinar en la misma representación tanto la imagen como su historia. En el arte de Jean Claude la tipografía es muy importante ya que la utiliza como un lápiz. La elección del tipo de letra influye en el resultado plástico así como en la relación con la personalidad del modelo. Combinada con la imagen del retrato, la tipografía define en el trazo de las palabras y las frases, el carácter más incisivo, más marcado del personaje representado.

"Paul Auster" Jean-Claude CUENCA - 2005

JEANINE PAYER, INC.

www.jeaninepayer.com / San Francisco, CA. USA

Precious metal objects with hand-engraved poetry

For this jewelry designer, there is nothing more intimate than being able to wear poetry close to her skin. Jeanine engraves text and poetry fragments into precious metals with her own calligraphy, choosing to shy away from any known typeface in order to add a more personal and intimate touch to each of her pieces. The text on each piece is chosen personally by the artist and always has a direct relationship with the piece of jewelry itself.

Para esta diseñadora de joyería, no hay nada más intimo como poder llevar poesía cerca de la piel. Jeanine graba textos y fragmentos de poesía sobre metales preciosos con su propia caligrafía y opta por huir de cualquier tipografía existente para poder añadir un toque más personal e íntimo a cada una de sus joyas. El texto de cada pieza es elegido personalmente por la artista y siempre guarda una relación directa con la joya.

This now is it. This.
Your deepest need and
desire is satisfied
by the moment's energy
here in your hand.

join spokes together in a wheel, but it
shape clay into a pot, but it is the
hammer wood for a house, but it is
work with being, but non-being

www.bnind.com / Burlingame, CA. USA

Helvetica Iconic Panel

Photos © B+N Industries, Inc. Made by B+N Industries

B+N Industries has launched an exclusive interior decoration line of iconic panels inspired by famous people, places and artistic movements throughout the ages. The panels are made using an innovative process to laminate solid wood, making the finished product incredibly durable.
The print Panel Helvetica is created with the numbers from one of the most popular typefaces in history, Helvetica, originally created by the Swiss designer Max Miedinger. Designed in 1957 to modernize the style of a sans-serif style in a typography firm, it has become one of the most used typefaces in the world of design.

B+N Industries ha lanzado una línea exclusiva de paneles icónicos para decorar espacios interiores, inspirados en personajes importantes, lugares y movimientos artísticos de todos los tiempos. Los paneles se fabrican usando un proceso innovador de laminado encima de un corazón de madera, siendo el resultado increíblemente duradero.
El estampado del Panel Helvetica, está creado con los números de una de las tipografías más populares de la historia, la Helvetica, creada originalmente por el diseñador suizo Max Miedinger. Diseñada en 1957 para modernizar el estilo de un tipo sans-serif de una casa tipográfica, se ha convertido hoy por hoy en una de las tipografías más utilizadas dentro del mundo del diseño.

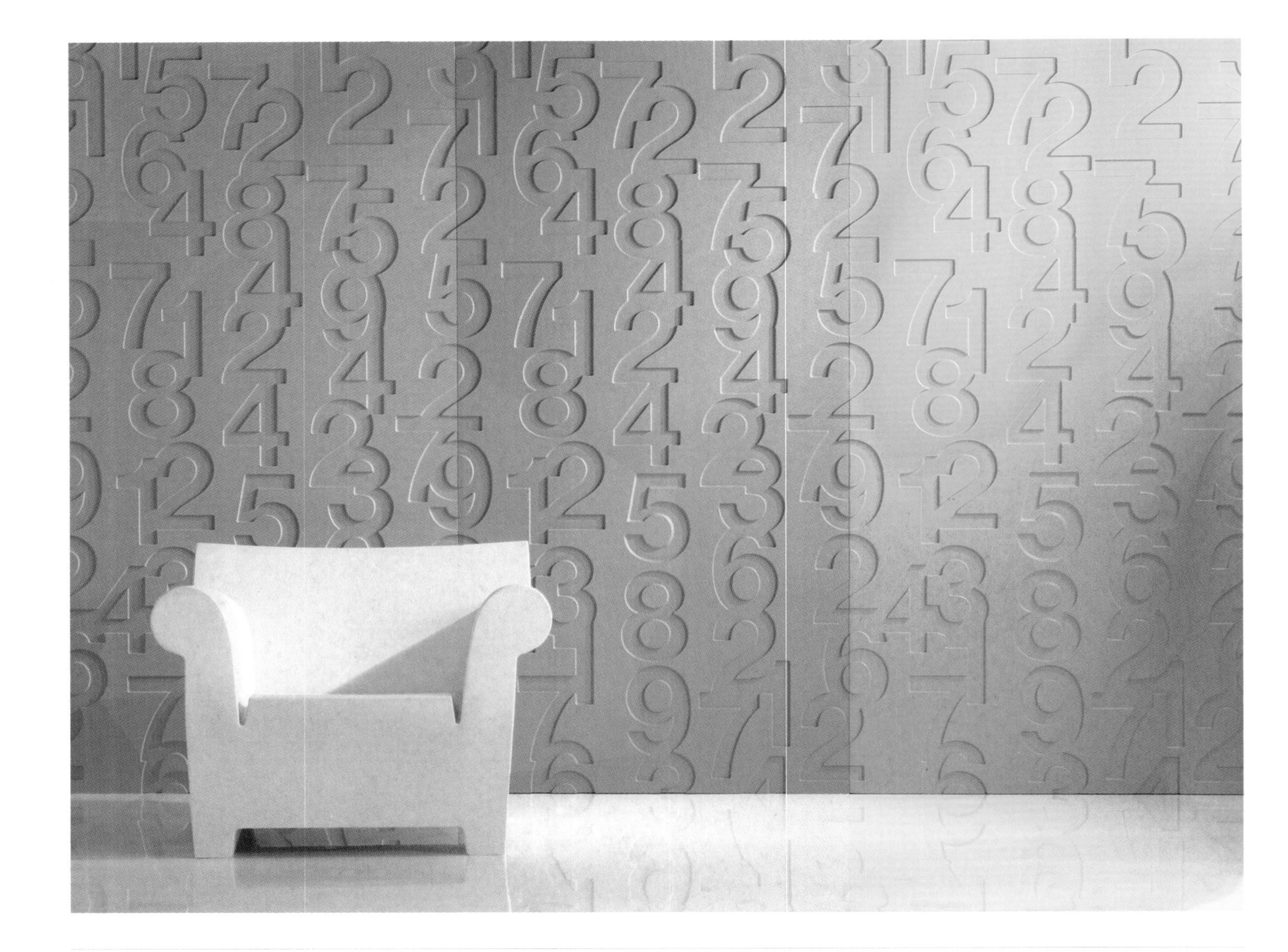

KIN-WAH TSANG

www.tsangkinwah.com / Hong Kong, CHINA

Pattern Installation Series

Photos © Kin-Wah Tsang

Indecent language has always been ignored, condemned to be used to insult people, which is obviously one of its objectives. But for this artist, this kind of language could be seen as a way of violating and defying the rule and social norms which, as language does, has also been imposed on members of society and has obliged them to behave themselves in a specific way ever since childhood. The image and arrangement of these texts were first made on a computer and then printed out for the artist to use them in creating a base pattern. This base was used to hand paint the images onto canvas which was hung in the space to create the final installation. The typeface used by the artist in nearly all his works is Arial Black, as for him it fits quite well the type of language he uses and types of emotions it expresses.

El lenguaje indecente siempre ha sido ignorado y condenado a ser usado para insultar a la gente que, obviamente, es uno de sus objetivos, pero para este artista este lenguaje puede considerarse como un modo de violar y desafiar las reglas y normas sociales que, como la lengua, también se imponen a los miembros de la sociedad y le obligan a comportarse de una manera concreta desde la niñez. La imagen y el arreglo en los textos se hacen primero por ordenador y luego se realiza una copia impresa que entonces el artista usa para crear una base de patrón. Esta base se usa para pintar a mano las imágenes sobre una lona que luego se pega en el espacio para crear la instalación final. La tipografía usada por el artista es, casi en todos sus trabajos, la Arial Black, ya que para él, este tipo de letra encaja muy bien con el tipo de lenguaje que usa y el tipo de emociones que expresa.

ILOVEYOURS
AESTHETICS
MARVELLOUSCHICKEN
FUCKINGWEALTHYCUNTS
WHATAFUCKINGCUNT
YOURCAR
YOURGIRL
MONEYPLEASE
FUCKERS
MONEY

UCKFORTHE
HUMANBODY
FUCKINGENJOY
FUCKINGFORTH
STOLID
FUCKSHIT
THELIFE
ALLFUC
CUNT
SHIT
IDIOTICWORD
IDIOTS
BELIEVEALL
FUCKALLESS
FUCKTHEFUCK
FUCKINGMINDLESS
FUCKINGSELFCONFIDENT
LISTENTOIT
FUCKTHECUNT

KUHLMANN LEAVITT, INC.

www.kuhlmannleavitt.com / Saint Louis, MO. USA

Formica Corporation World Headquarters Lobby Wall Graphics

Photos page 74 by Scott McDonald © Hedrich Blessing / Photos page 75 by © Scott Dorrance

In order to decorate the vestibule of the headquarters of the Formica Corporation, vinyl text pieces were made with the company's two corporate typefaces, Bauer Bodoni and Helvetica Light. The two typefaces were used with the intention of being directed at two types of readers who might be the room. For the word "Formica", Bauer Bodoni was used so it could be read from any distance. With its bold elegance, it is used as a backdrop for the information provided to visitors waiting in the vestibule. This information is organized into 7 sections and the heading of each is printed in black and red Helvetica Light so it can be seen from any point of the room. For the explanatory text in each sections, the same typeface in black and red was used, but this time the aim is for a more private reading, so visitors must approach wall in order to read the words.

Para la decoración del vestíbulo de la sede central de Formica Corporation se crearon unos vinilos de texto con las dos tipografías corporativas de la casa, la Bauer Bodoni y la Helvetica Light. Se utilizaron ambas tipografías para así poder dirigirse a los distintos tipos de lectores que pudieran estar en la sala. En la palabra "Formica", se utilizó la Bauer Bodoni para poder ser leída desde todas las distancias. Con su elegancia bold (negrita), ésta sirve como telón de fondo para la información proporcionada a los visitantes que esperan en el vestíbulo. Esta información está organizada en 7 secciones y para la cabecera de cada sección se utilizó la Helvetica Light en negro y rojo para que fuera visible desde cualquier punto de la sala de espera. Para el texto explicativo de cada sección también se utilizó la misma tipografía en rojo y negro, pero esta vez destinado a ser leído de una manera más íntima ya que los visitantes deben acercarse a la pared para poder leer las palabras.

function
family
form
function
family
form
function
family

LA CAMORRA

www.lacamorra.com / Madrid, SPAIN

Fonts by La Camorra

The typography designed by La Camorra arises from daily work life. First they create a composition of letters by hand for a specific project and then see how they can be used as a typeface. Later they develop all the characters and finally, they generate the font file to be used in other projects. Many last-minute flyers have been used as a testing ground for their typefaces. Come of the fonts they have created are Bananera, Culona, Caliqueña and Pompadour, as seen from left to right and top to bottom. The unnamed fifth typeface is still being worked on and currently has no name.

Las tipografías que diseña La Camorra nacen del trabajo diario. Primero crean una composición de letras a mano para un trabajo especifico y luego se dan cuenta de que puede funcionar como tipografía, mas adelante desarrollan todos los caracteres y, finalmente, generan el archivo de fuente para poder utilizarla en otros proyectos. Muchos flyers que han hecho para el "ocho medio" les han servido como campo de pruebas para sus tipografías. Algunas de las fuentes que han creado son, de izquierda a derecha y de arriba a abajo, Bananera, Culona, Caliqueña y Pompadour. La quinta tipografía que no se ha nombrado está en construcción y actualmente no tiene nombre.

ABCabc abcdefg ABCDEabcde

ABCdEabcde ABCDEFG

JUANITA Y LOS
FEOS

MALDITO DESAGRADECIDO
SISEBUTO
EL AGUJERO
MADRE SOLTERA (NO QUIERO SER UNA)
JUANITA - GRITOS
FA FEO - CHATARRA
ANGELITO FEO - MAMUT
ANIBAL FEO - PIT PIT PIT
RAFA FEO - PUM PUM PUM
www.myspace.com/juanitaylosfeos
juanitaylosfeos@gmail.com
All tracks recorded in April 2007 by ourselves

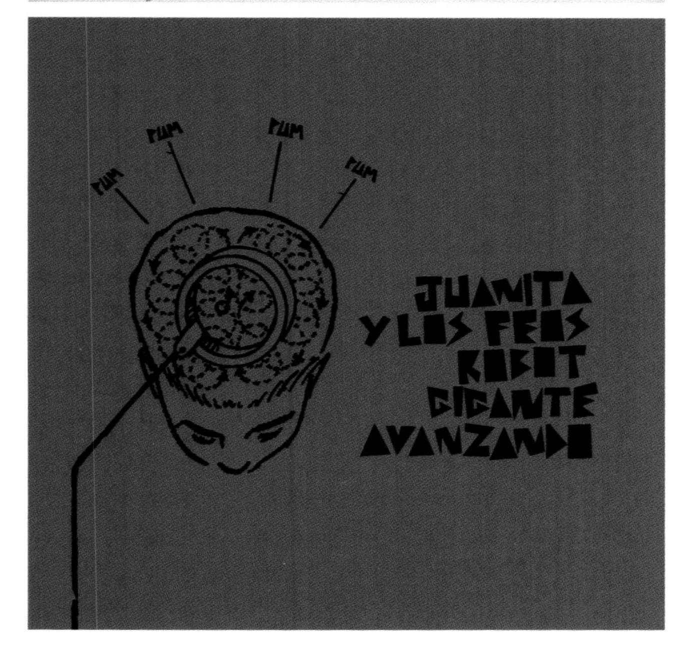
PUM
PUM
PUM
PUM
JUANITA
Y LOS FEOS
ROBOT
GIGANTE
AVANZANDO

JUANITA
Y LOS FEOS
MAMMOTH
ROCK!!!

zarautz bold

8 Y Medio

Marzo '06
3 Gato (Razzmatazz/BCN)
10 Homeboy
17 Que Out!! (Argentina/directo)
24 Las Perras del Infierno
Viernes de 1 a 6
C/Mesonero Romanos 13
(Esq. Gran Vía 34) MADRID
Entrada 10€ con copa
8€ con copa presentando este flyer de 1 a 2
www.tripfamily.com
ochoymedio@tripfamily.com

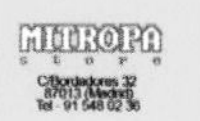
MITROPA
store
C/Bordadores 32
Tel · 91 548 02 36

Ocho y Medio

Febrero '06
10 Jet 7 (Nacho Canut/Fangoria)
Roberta Marrero
17 Viernes 13 (Madrid/directo)
Viernes de 1 a 6
C/Mesonero Romanos 13
(Esq. Gran Vía 34) MADRID
Entrada 10€ con copa
8€ con copa presentando este flyer de 1 a 2
www.tripfamily.com
ochoymedio@tripfamily.com
MITROPA

Elástico flyers

Photos © Maria Blanco

La Camorra designed their first "elastic" club flyers with the use of the logo as a central element for people to identify the club with, as the club was still quite new at the time. In the subsequent flyer series they designed, they wanted to do something different, something that would little by little give personality to the club. This time they played with the logo by creating it with objects considered "elastic", ones whose shape allowed for a certain play.

La Camorra diseñó los primeros flyers del club "elástico", en los que se usaba el logotipo como elemento central para que la gente identificase el club con el logotipo, ya que el club era todavía muy nuevo. En la siguiente serie de flyers que diseñaron, quisieron hacer algo diferente, algo que poco a poco le fuera dando una personalidad propia al club. Esta vez jugaron con el logotipo pero para crearlo a partir de objetos que ellos consideraban "elásticos", con los que se podía jugar con su forma.

elástico
elástico
elástico
elástico

LAURIE CHAPMAN

www.sweettoothdesigns.com / Monarch Beach, CA. USA

The Smiley Collection

To design her jewelry line, Laurie Chapman was found inspiration in the famous smileys which were such the rage in the 70's. Laurie chose the typeface Syntax Roman because it is a simple, easily legible typeface without serif, one which would allow her to work easily into metals. The creative combinations of the keyboard symbols represent different emotional states and the designer's intention was for people to express their feelings by using this jewelry, without having the engraved symbol lose their functional essence. This is why the typeface she chose is comparable to those normally used in e-mails, where these new emotional symbols are most likely to be used.

Para diseñar su línea de joyería, Laurie Chapman se inspiró en los caracteres conocidos como smileys que surgieron en la década de los años 70. Laurie utilizó la tipografía Syntax Roman porque es un tipo de letra sin serifa, sencilla y con buena legibilidad que le permitía poder trabajar sobre los metales sin problemas. Las combinaciones creativas de los símbolos del teclado, representan distintos estados de ánimo, y la intención de la diseñadora es que la gente pueda expresar sus sentimientos, mediante la joya, sin que los símbolos grabados pierdan la esencia de su función. Es por eso que utiliza una tipografía que se asemeja a las se usan habitualmente en los correos electrónicos, dónde más se utilizan estos nuevos símbolos emocionales.

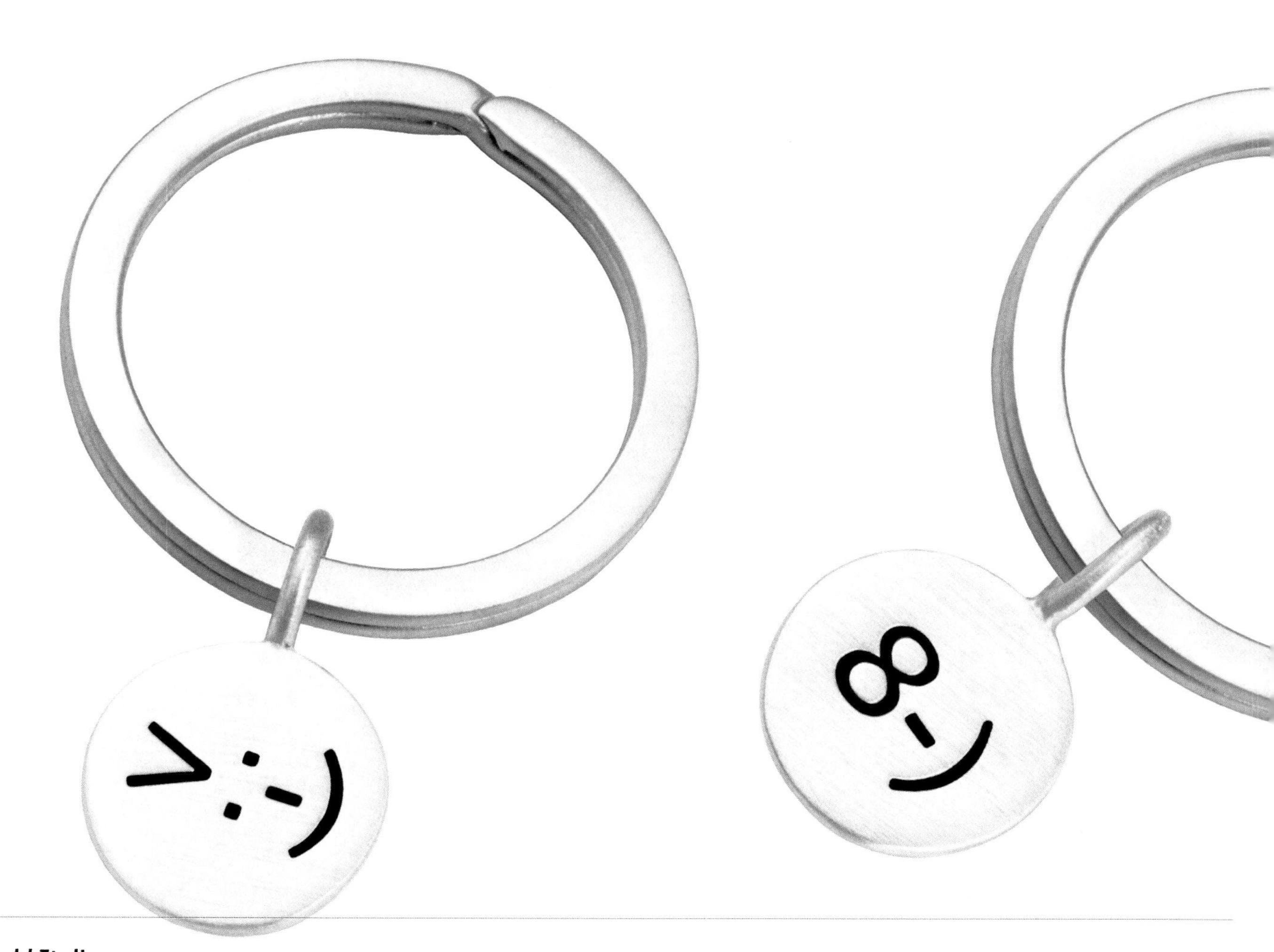

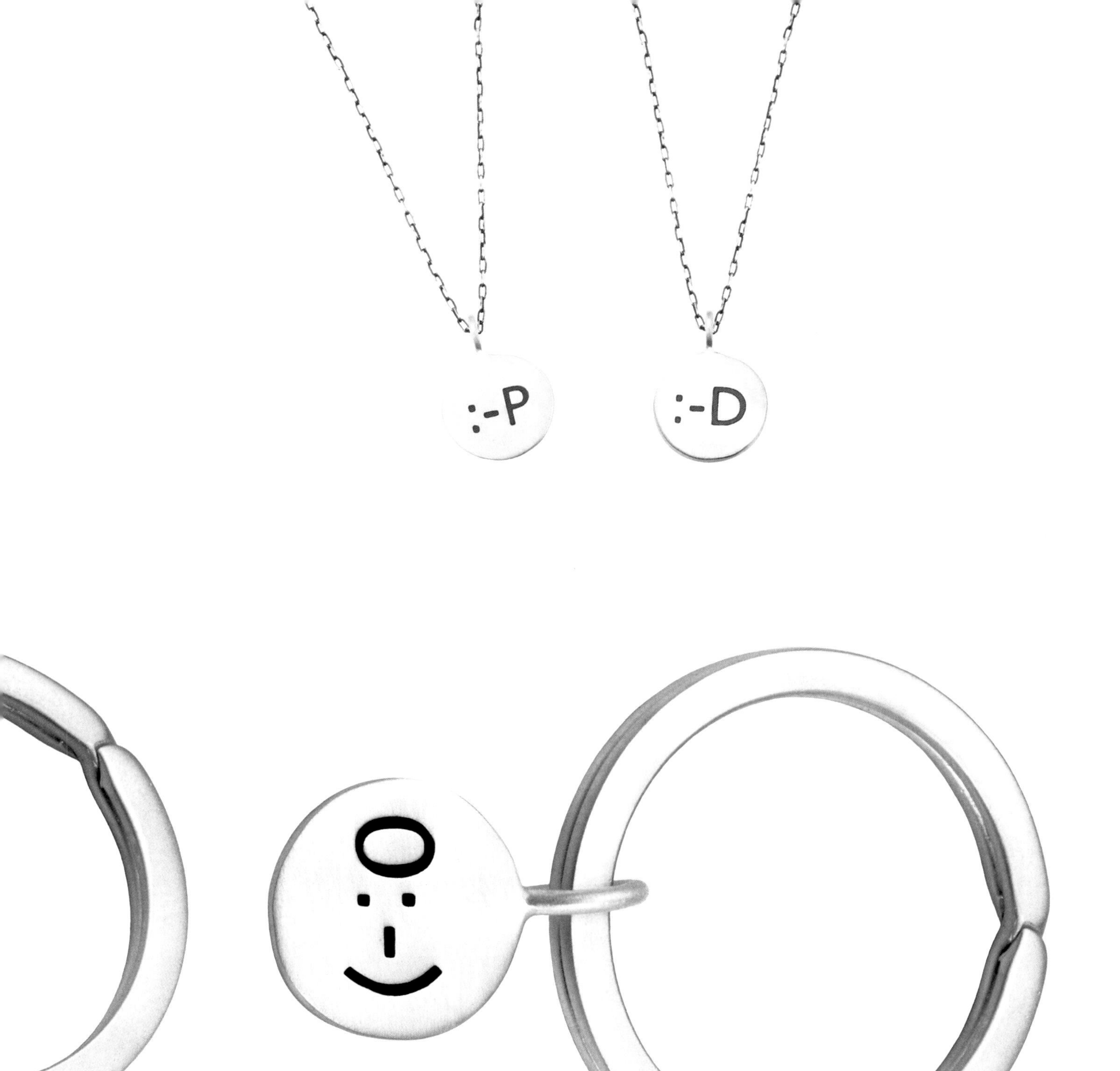
:-P
:-D

LISA RIENERMANN

www.lisarienermann.com / Cologne, GERMANY

Type the sky

Photos © Lisa Rienermann

It all began when standing in something like a little courtyard in Barcelona, Lisa looked up and she saw buildings, the sky, clouds... and a "Q". The negative space between the buildings formed a letter. Instantly Lisa fell in love with the idea of the sky as words. The following weeks she kept running around looking up to the sky trying to find all the letters of the alphabet.

Todo empezó cuando Lisa alzó la vista y vió edificios, el cielo, las nubes y... ¡una letra "Q"! desde un patio de Barcelona. El espacio negativo que se formaba entre los edificios formaban las letras. En ese mismo momento, Lisa se enamoró de la idea:"el cielo como palabras". En las semanas siguientes recorrió la ciudad mirando hacia el cielo para encontrar todas las letras del abecedario.

Auto2 Italic

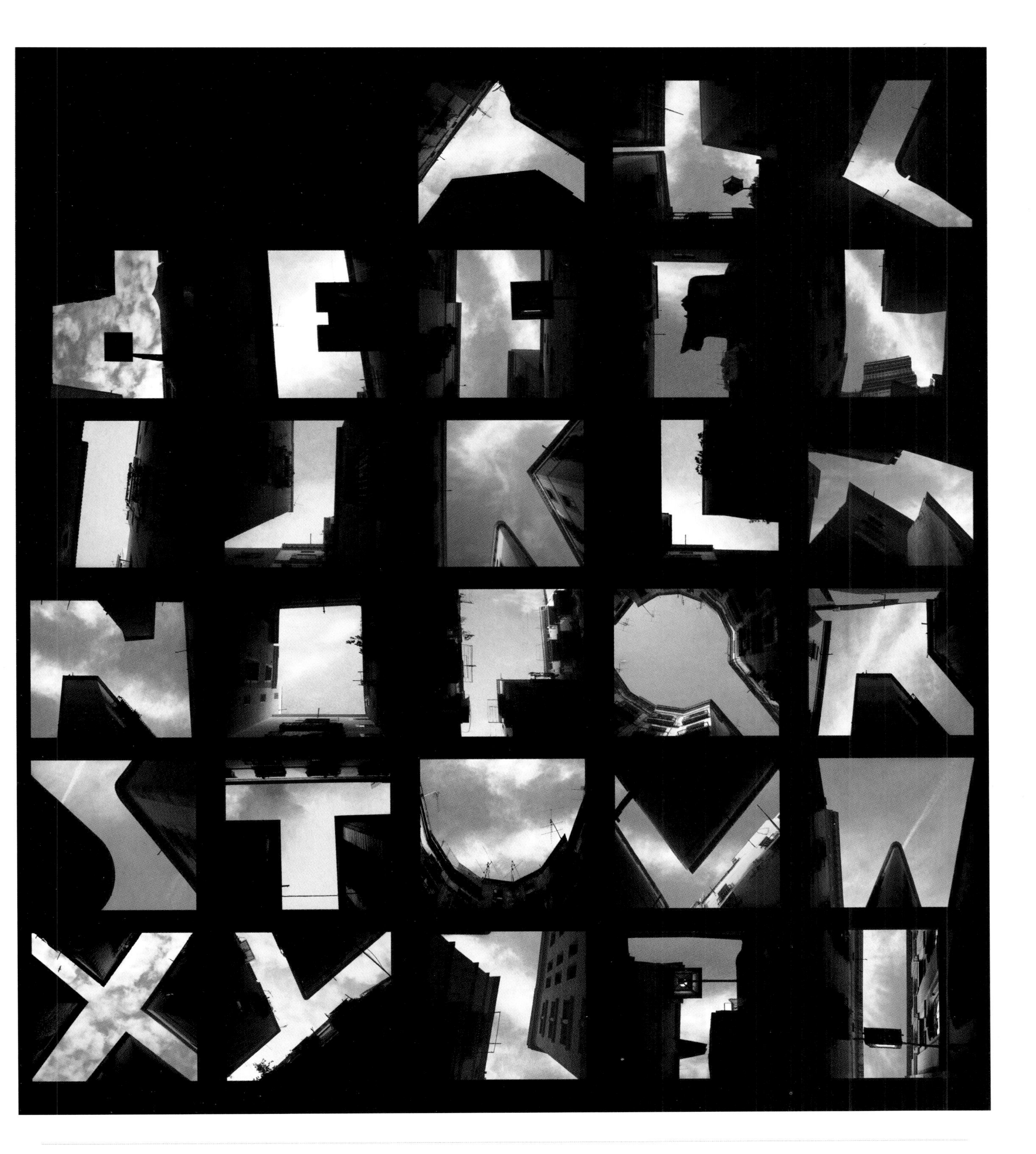

Auto2 Light Italic

www.lizzieridout.com / Falmouth, UK

Memorial to the Named & the Faceless

It all began the day that Lizzie found by chance in a secondhand clothes shop part of a name on a strip of ribbon hanging from a jacket collar. This reference of an unidentifiable past intrigued her and she began experimenting with the idea of working from complete anonymity in order to bring about a possible identity. The artist had no control over the used typeface, as the font was dictated by part of the original she found. In order to create the finished word, each piece was enlarged or scanned meticulously and thus the typography model was born.

Todo empezó un día en el que Lizzie encontró, por casualidad en una tienda de ropa de segunda mano, parte del nombre de alguien en un trozo de cinta que colgaba del cuello de una chaqueta. Esta referencia a un pasado no identificable la intrigó y experimentó con la idea de trabajar desde el anonimato completo para sugerir una posible identidad. La artista no tuvo ningún control sobre las tipografías usadas ya que el tipo de letra utilizado fue dictado por la parte del original que ella encontró. Para poder crear la palabra completa, cada trozo fue ampliado y escaneado minuciosamente para así crear el modelo de letra.

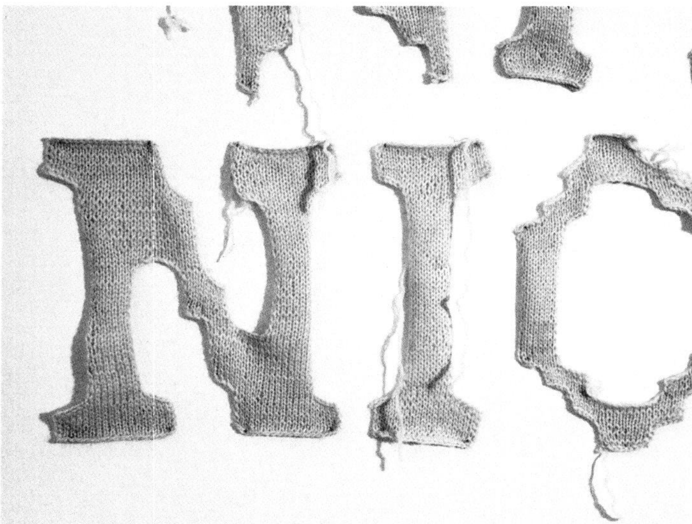

Auto2 Bold Italic

Wellcome

With each piece, the artist proposed an interesting experiment which began as a template with the word welcome, exactly how it appears on certain house welcome mats. A word was formed with a dust-like material which was destroyed bit by bit every time it was trod upon. The word would disappear but a new image would be generated nevertheless. To being with, the art used a simple bold typeface in capital letter, as she wanted to copy the word appearing on real welcome mats. When she had access to a laser cutter, she played with other more ornamental typefaces which allowed her to create much more original and elaborate pieces.

Con esta pieza, la artista propone un experimento interesante en el que a partir de la creación de una plantilla con la palabra wellcome, tal y como aparece en algunos felpudos de las casas, se obtiene una palabra hecha con un material en polvo que se destruye cuando la gente lo pisa. La palabra desaparece pero, sin embargo, se genera una nueva imagen. En un principio, la artista utilizó una simple tipografía bold (negrita) en letras mayúsculas porque quería imitar la palabra que aparece en los felpudos reales. Cuando tuvo acceso a un cortador láser jugó con otras tipografías más ornamentales que le permitieron crear piezas mucho más originales y elaboradas.

www.loreakmendian.com / San Sebastián, SPAIN

Loreak Mendian Fashion

Loreak Mendian is a clothing firm using typographic motifs in many of their designs, such as the handwritten tracing of the brand name which is only scanned on their garments, never digitalized or vectored. The aim of the brand is to create all-season wear which would buck all trends, which is why their designs always shoot for a point of neutrality. As for their typeface, bold Helvetica is used above all to lend the clothes their simple and neutral feel. The letters and typographic compositions are one of the elements most often used by Loreak Mendian for their designs.

Loreak Mendian es una marca de ropa que utiliza motivos tipográficos en muchos de sus diseños, así como, el trazo manual para escribir el nombre de la marca, siempre escaneado, ni vectorizado ni digitalizado, en algunas de sus prendas. El objetivo de la marca es crear ropa atemporal, que no siga ninguna tendencia, y por eso sus diseños siempre intentan alcanzar un punto de neutralidad. En cuanto al uso de la tipografía, la Helvetica, sobretodo la bold, es la que más utilizan dado su carácter sencillo y neutro. Las letras y las composiciones tipográficas, son uno de los elementos gráficos más utilizados por Loreak Mendian para sus diseños.

Auto3 Italic

Graphic Collection

In addition to the extensive collection of garments that the brand offers, the Loreak Mendian team also design a graphic collection which is reflected in T-shirts, sweaters, as well as different prints, some of which include typographies which can be seen in other articles of clothing. As they define themselves, Loreak Mendian is a continental company of clothing and modernist accessories, which can dress both men and women from head to toes.

Además de la extensa colección de prendas que ofrece la marca, el equipo de Loreak Mendian también diseña una colección gráfica que plasma en camisetas y jerséis, así como diferentes prints, algunos de ellos realizados con tipografías, que se incluyen en otras prendas. Tal y como ellos mismos se definen, Loreak Mendian es una compañía continental de ropa y complementos modernistas, que puede vestir de arriba abajo a hombres y mujeres.

Los límites del ángulo recto.
Ángulo de 89°
EC
Division Graphica © 2006

Revolution (Dingbats)

Dingbats or typographic symbols are the characters of the font which are monochrome drawings instead of being assigned alphanumeric characters. These drawings can be modified much like any text (size, alignment, color...) and can even be reshaped into curvesa and manipulated. Revolution DB1 and DB2 are tools created by LSD to promote graphic activism which contain pre-designed and ready-to-use images, words and symbols with a social and political bent. They are project clippings and graphic elements from A HAPPY WORLD selected with idea that they can be constantly reused in different projects. The key is to make work easier for the user, designer or amateur when making their graphic designs, helping them create more powerful messages.

Los dingbats o tipografías de símbolos son ficheros de fuente que, en lugar de tener asignados caracteres alfabéticos o numéricos, contienen dibujos monocromos. Estos dibujos permiten modificar sus atributos al igual que cualquier texto (tamaño, alineación, color...) y, a su vez, también pueden convertirse a curvas permitiendo su manipulación. Revolution DB1 y DB2 es una herramienta creada por LSD para el activismo gráfico y contiene imágenes, palabras y símbolos de carácter social y político, prediseñados y listos para usar. Son recortes de trabajos y elementos gráficos de UN MUNDO FELIZ seleccionados con el fin de que se puedan reutilizar continuamente en diferentes proyectos. La idea clave es facilitar al usuario, diseñador o amateur, su labor a la hora de crear sus comunicaciones gráficas, permitiéndole crear mensajes impactantes.

LIBERPAZ
IGUALPAZ
FRATERNIPAZ

VIOLENCIA
TORTURA
TERROR

maltratadas

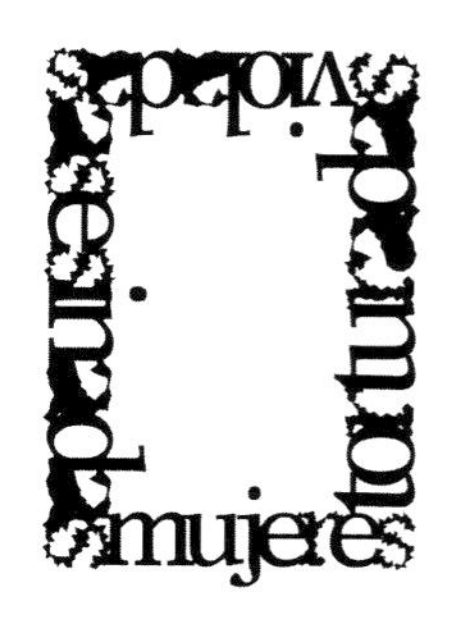

MASACRE

Vida

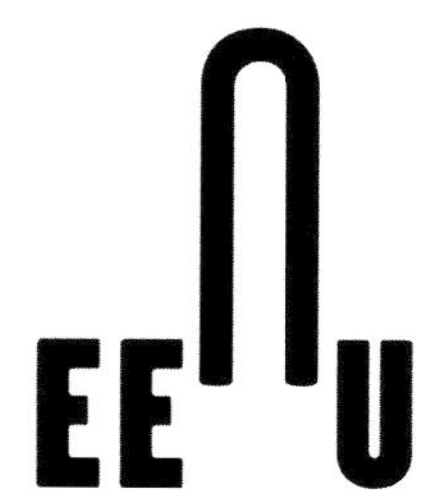

PRESIDENT&CO.

fraternidad
libertad
igualdad
inhumanidad

Didot Stencil

LSD designed this collection of records for the music promoter Koncerta Clásica. Due to a limited budget, it was decided to use an eminently typographic design with a rather reduced color palette in order to lend greater visual unity to the logo. Following these premises, they designed Didot Stencil, trying to marry the elegance and classic look of the font Didot with the radical power of the stencil. From this mixture arose a versatile and sophisticated typeface with a strong personality. LSD defines its Didot Stencil as a simple font with a pure shape and a marked decorative component.

LSD diseñó esta colección de discos para la promotora musical Koncerta Clásica. Debido a la limitación del presupuesto, se optó por la utilización de un diseño eminentemente tipográfico y por una paleta de color muy limitada, en orden a dar mayor unidad visual a la marca. Siguiendo estas premisas diseñaron la Didot Stencil intentando conjugar la elegancia y el clasicismo de la fuente Didot con la potencia radical del estilo stencil. De esa mezcla surge una tipografía versátil, sofisticada y de fuerte personalidad. LSD definen su Didot Stencil como una tipografía sencilla, de formas puras, con un marcado componente decorativo.

ABCDEFGHIJ
KLMNÑOPQR
STUVWXYZ
1234567890
abcdefghijklmn
ñopqrstuvwxyz
1234567890

DidotStencil KONZERTA CLASICA

Type4Peace

Type4Peace is a typographic/conceptual experiment which tries to show the representational problems and use of symbols attached to the written word. The constructive format is a reticule on which has been superimposed multiple hearts, crosses, half moons, and stars... For LSD, the most interesting aspect of this project is demonstrating how an unrecognizable shape in a micro-typographic point of view increases in size and becomes more and more obvious to take on its authentic form.

Type4Peace es un experimento tipográfico/conceptual que trata de evidenciar los problemas de representación y el uso de los símbolos ligados a la palabra escrita. El formato constructivo es una retícula sobre la que se repiten corazones, cruces, medias lunas y estrellas...Para LSD, el aspecto más interesante de este proyecto es mostrar cómo desde el punto de vista de la microtipografía hay una forma irreconocible que con el aumento de tamaño se hace evidente y cobra auténtico sentido.

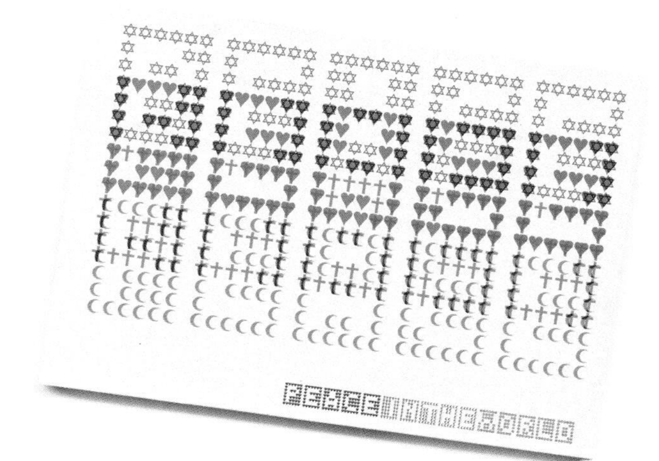

cross of peace type

half moon of peace type

hearts of peace type

stars of peace type

wiews of peace by LSDspace ♥♥♥♥♥♥ ☾☾☾☾☾☾ ✝✝✝✝✝✝ ✡✡✡✡✡✡ ♥♥♥♥♥♥ ☾☾☾☾☾☾ ✝✝✝✝✝✝ ✡✡✡✡✡✡

LUÍS ALICANDÚ

www.coroflot.com/caco / Caracas, VENEZUELA

Grafitti Table, Grafitti Chair & MK Louffiti Mirror

Trying to integrate beauty into what many consider ugliness and vandalism, as graffiti, Luís Alicandú, a Venezuelan industrial designer and former graffiti artist has developed a line of objects by mixing chaos and harmony to give rise to products with a baroque-contemporary air.

Tratando de integrar la belleza de lo que muchos consideran feo o vandálico, como el graffiti, Luís Alicandú, diseñador industrial venezolano y ex graffiti writer, desarrolla esta línea de objetos que, con una mezcla de caos y armonía, dan vida a productos con un aire barroco-contemporáneo.

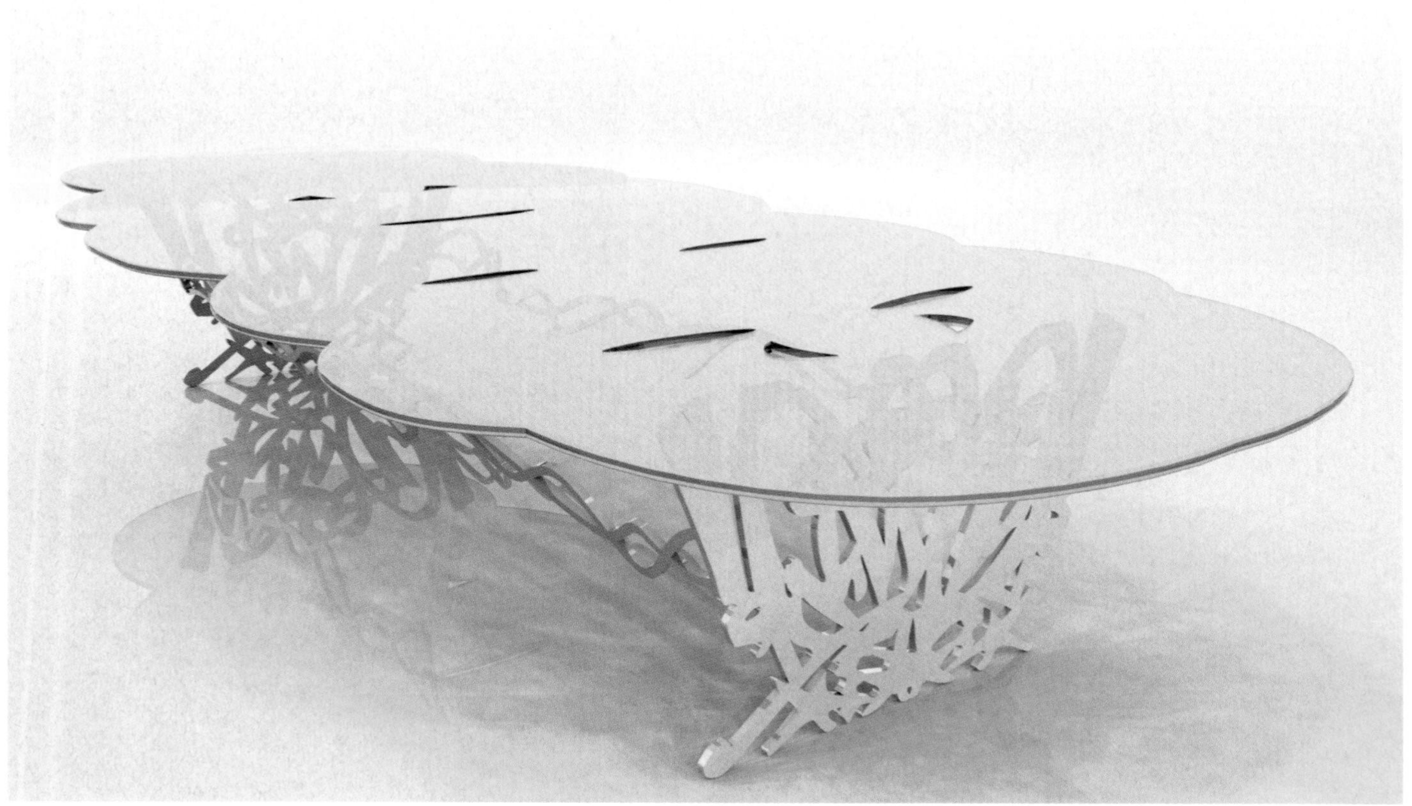

Dolly Italic

MARIAN BANTJES

www.bantjes.com / Bowen Island, BC. CANADA

Seduction

Michael Bierut of Pentagram commissioned Marian Bantjes to design a poster for a conference series taking place at the Yale School of Architecture. Marian drafted the typeface manually. The letters flow and undulate sensually, interweaving and perforating each other as if they were sharp needles. The style approaches a certain sadomasochism.

Michael Bierut de Pentagram le encargó a Marian Bantjes que diseñara el cartel para una serie de conferencias que se iban a llevar a cabo en la Escuela de Arquitectura de Yale. Marian dibujó el tipo de letra manualmente. Las letras fluyen y ondulan de una manera sensual entrelazándose y perforándose entresí como si de afiladas agujas se tratara. La estética roza el sadomasoquismo.

The Church of the Non-Believers

This page was designed for an article in WIRED magazine about the staunchness of atheistic scientists (especially about Richard Dawkins). The editors wanted something "ecclesiastic" but not heavy-handed, so Marian decided to lean toward the idea of using a gothic letter type but from a rationalist perspective. All the parts include straight lines or perfect circles: the rational makes the gothic noble.

Esta página fue diseñada para un articulo en el WIRED magazine que hablaba sobre la firmeza de los científicos ateos (especialmente sobre Richard Dawkins). Ellos querían algo "eclesiástico" pero no demasiado, entonces Marian decidió acercarse a la idea de las letras góticas desde una perspectiva racionalista. Todas las partes son líneas rectas o círculos perfectos: lo racional se hizo sublime.

You are in my thoughts

Marian designed this 4-meter high transparent plastic banner for Wallpaper* Magazine for the "Global Edit" exhibition of the Milan furniture show (2006). The artist designed the pattern reticule to first create the ornamentation and then she designed the typeface.

Marian diseñó esta bandera de plástico transparente de 4 metros de altura para la revista Wallpaper* Magazine para la exposición "Global Edit" del salón del mueble de Milán (2006). La artista diseñó la retícula del patrón para poder crear la ornamentación y después diseñó el tipo de letra.

MARSHMALLOWSTUDIO

www.myspace.com/marshmallowstudio / Transylvania, ROMANIA

Pillphabet

Photos © Marshmallowstudio

Fridah and Vurdalak are a brother-sister team who grew up in Transylvania, one of the most captivating provinces in Romania surrounded by enchanted forests and valley, legendary castles and obscure legends. When they were little, they played with their food, creating letters and forming words using a secret language that only they understood. Years later in London, where they studied design, some friends commissioned them to design a flyer for a party and they were reminded of their old days playing with their food to communicate in secret. They used candy to create the typeface and this became the moment they decided to form Marshmallowstudio. Their motto is EAT YOUR WORDS, and they always work with edible items to create their typefaces. One of their first alphabets was Pillphabet, created with a certain technological flair using caramel drops.

Fridah y Vurdalak son hermanos y crecieron en Transilvania, una de las provincias más románticas de Rumanía, rodeados de valles y bosques encantados, castillos legendarios y oscuras leyendas. Cuando eran pequeños jugaban con la comida creando letras y formando palabras con un lenguaje secreto que solo ellos entendían. Años después en Londres, donde cursaron estudios de diseño, unos amigos les encargaron el diseño de un flyer para una fiesta y recordaron los viejos tiempos en los que jugaban con la comida para comunicarse en secreto. Usaron golosinas para crear todas las tipografías y fue en ese momento cuando decidieron crear Marshmallowstudio. Su lema es COMETE TUS PALABRAS, y siempre trabajan con elementos comestibles para crear sus tipografías y obras de arte. Unos de sus primeros alfabetos fue el Pillphabet creado a partir de pastillas de caramelo con cierto aire tecnológico.

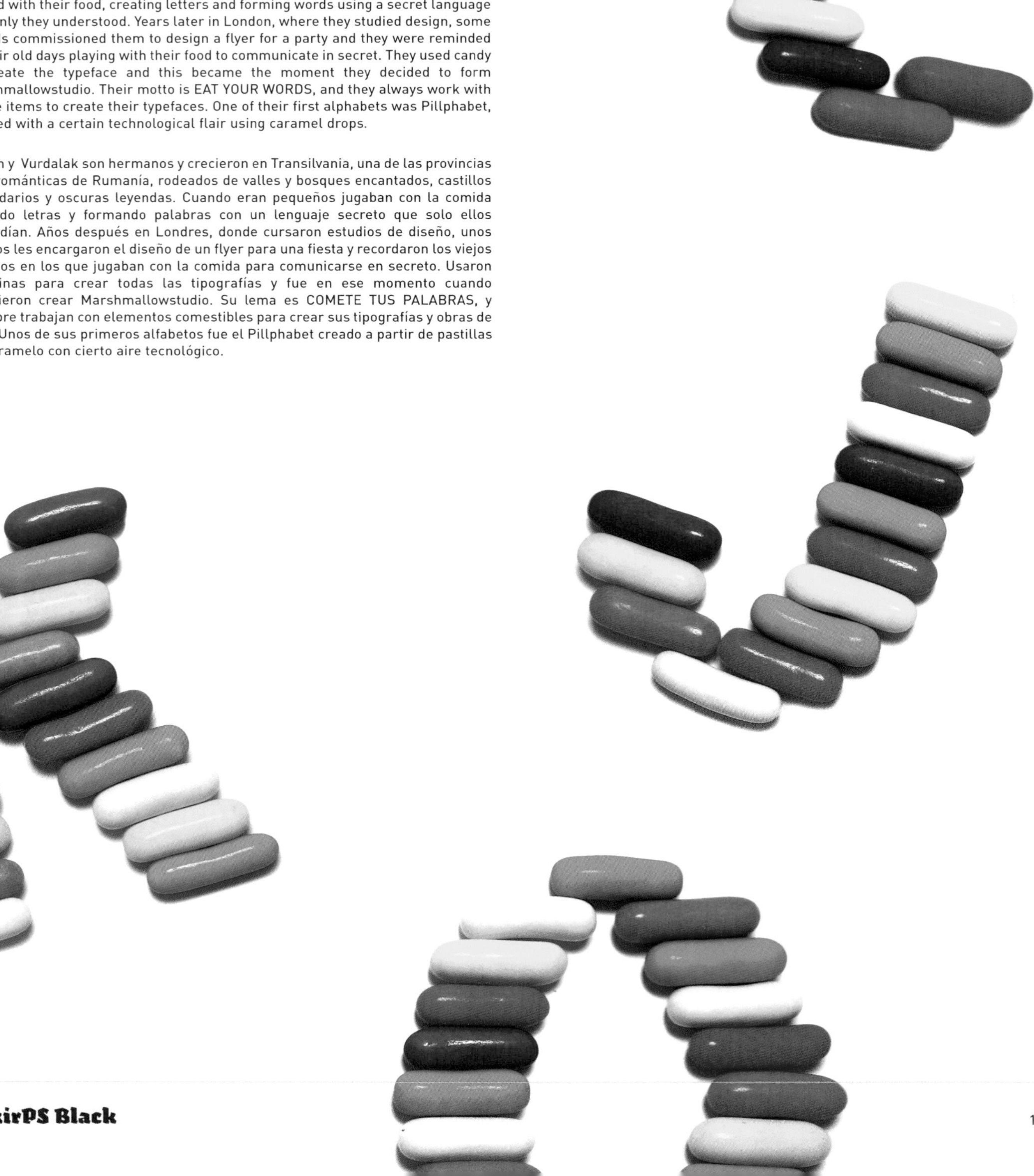

EAT YOUR WORDS

BUT DONT GO HUNGRY

WORDS HAVE ALWAYS

NEARLY HUNG ME

WHAT ARE WORDS WORTH?

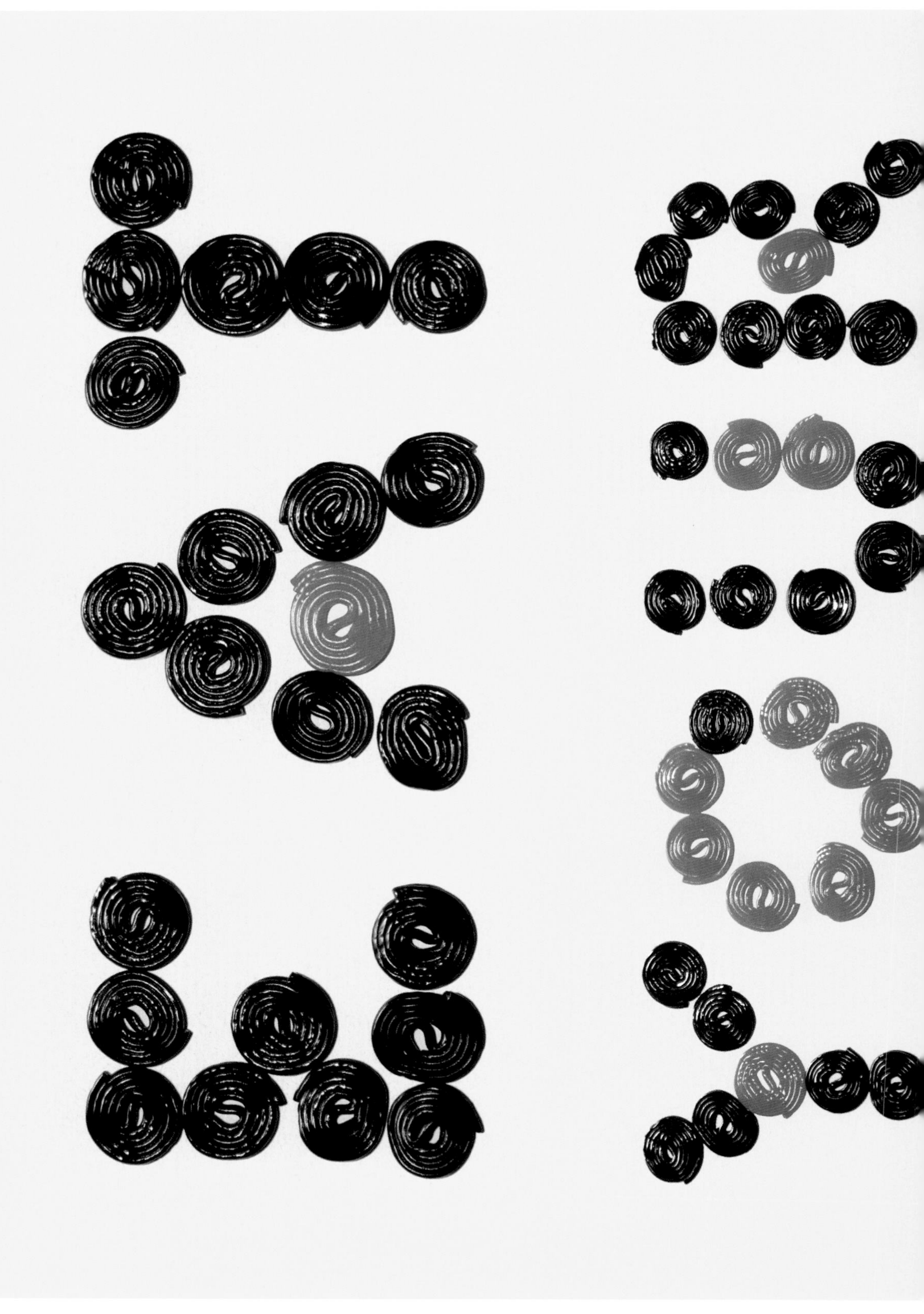

FakirPS Italic

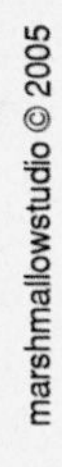
marshmallowstudio © 2005

www.martiguixe.com / New York, USA

Denver Typography

Photos © Imagekontainer

Martí Guixé created a script typeface to use in some of his projects. It was so successful and stirred up such a high demand that he ended up digitalizing it, thus making it into the identifying symbol of the designer himself.

Martí Guixé creó una tipografía a mano para utilizarla en algunos de sus proyectos. Fue tanto el éxito que tuvo y la gran demanda que suscitó, que acabó por digitalizarse, convirtiéndose en un signo de identidad del propio diseñador.

ABCDEFGHIJKLMNOPQRSTUVWXYZ
abcdefghijklmnopqrstu vwxyz
0123456789 ½ ¼ ¾ % ‰
DENVER GUIXÉ TYPO

Table-cloth-how to prepare Pan con Tomate

Photos © Imagekontainer / Produced by Cha-Cha, 2005

Martí Guixé designed this tablecloth with instructions on how to prepare the typical Catalan "Pa amb tomàquet" (bread with tomato), using some illustrations and his own typeface.

Martí Guixé diseñó este mantel con las instrucciones para preparar el típico "Pa amb tomàquet" catalán, utilizando algunas ilustraciones y su propia tipografía.

PVC Curtain

Photos © Imagekontainer / Produced by Cha-Cha, 2002

This shower curtain made of PVC is a piece warning of the dangers of using PVC. The text provides information on the materials it is made of and demands the use of other more ecological materials. The typeface used is also Guixé Denver.

Esta cortina de ducha fabricada con PVC es una pieza que advierte de los peligros del uso del PVC. En el texto se informa sobre los materiales con los que esta hecho y se reivindica el uso de otros materiales más ecológicos. La tipografía utilizada también es la Guixé Denver.

MARTINA CARPELAN

www.martinacarpelan.com / Helsinki, FINLAND

Rise and Sigh

Photos © Tedi Boethius / Babylon.fi

The idea behind creating this bed linen collection arose from the long time Martina Carpelan spent thinking about what happens in hotels, especially in the rooms. She focused on the bed as it was very interesting object to be able to examine the most private and personal aspects of the guests, such as the different sleeping positions and the different prints the sheets makes on the skin when it comes into contact. Using words embroidered onto pillows, sheets and comforters, Martina reflects on what might occur during the night on a bed of a single person or on that of two lovers. Martina used the typefaces Lucida Sans Unicode, Children's Block and Bookman-Dak to reflect the boredom and routine of the solitary person, the unexpectedness of an unplanned night, and the romance of two lovers in love, respectively.

La idea para crear esta colección de sábanas surgió a partir de un largo tiempo en el que Martina Carpelan estuvo pensando sobre los incidentes que ocurrían en los hoteles y sobretodo, en las habitaciones. Se concentró en el elemento de la cama porque le interesaba mucho poder trabajar con lo más íntimo y personal de los huéspedes, como son las diferentes posiciones que se adquieren al dormir y las diferentes huellas que se marcan en la piel debido al roce con las sábanas. Martina refleja a través de palabras bordadas en cojines, sábanas y edredones lo que puede haber ocurrido en el encuentro de una noche, en la cama de un soltero o en la de dos enamorados. Martina ha utilizado las tipografías Lucida Sans Unicode, Childrens Block y Bookman-Dak para reflejar el aburrimiento y la rutina del soltero, los imprevistos de una noche no planeada y el romanticismo de los amantes enamorados, respectivamente.

Sauna Bold Italic

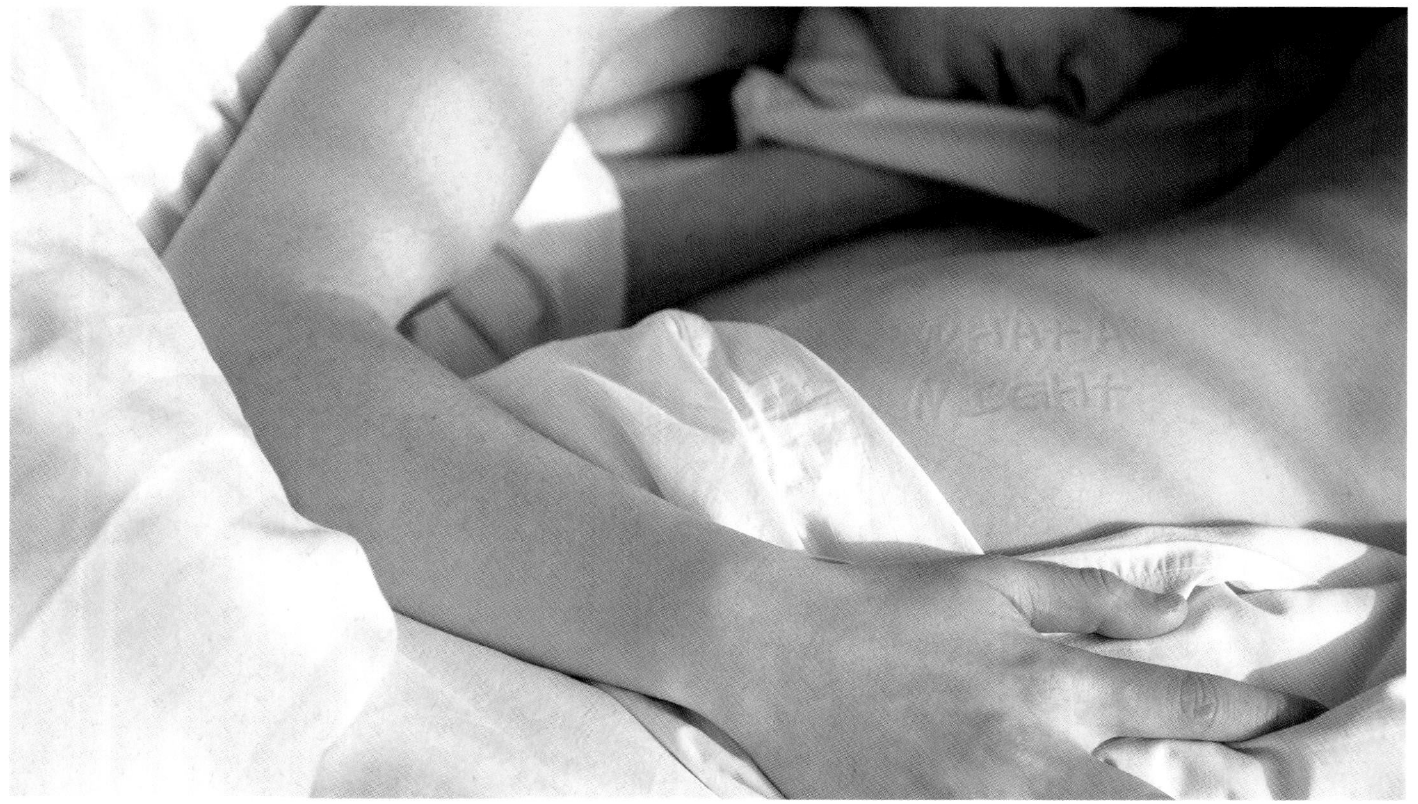

Sauna Bold Italic Swash

MICHAEL GOODWARD

www.goodward.com / Lucerne, SWITZERLAND

Sartresamples

Photos © Michael Goodward

Michael Goodward takes everyday objects and labels them with words and simple phrases. In the same line as the great medieval English philosopher, William of Ockham, who visually investigated the origin of the abstract concept of a product being fruit of a reflexive action of the mind, the result of Goodward's work is described in his own words as the current semiotics of thought.
As for the choice of typeface, he sought one which would serve the word without interfering in its meaning. He finally chose Helvetica for its neutrality and great legibility. The choice of black letters also responds to his yearning for impartiality and the noninterference a typeface must have in relation to the object it defines. For the artist, the typeface is an integral part of each object of which their intended meaning can not exist without.

Michael Goodward toma objetos diarios y los etiqueta con palabras y frases sencillas. Como ya hizo el gran filósofo medieval inglés Guillermo de Ockham, que investigó en un nivel visual, el origen del concepto abstracto como un producto fruto de un acto reflexivo de la mente, el resultado del trabajo de Goodward es descrito por el propio artista como la semiótica actual del pensamiento.
En cuanto a la elección de la tipografía, buscó un tipo de letra que sirviera a la palabra sin entrometerse en su sentido. Finalmente eligió la Helvetica por su carácter neutro y por su gran legibilidad. La elección del color negro de las letras responde también al objetivo de neutralidad y no intromisión que ha de tener el tipo de letra frente al objeto que define. Para el artista la tipografía es una parte integrante de cada uno de estos objetos en los cuales, el objeto no puede existir, con su sentido intencionado, sin el uso de ésta.

MISS GESCHICK & LADY LAPSUS

www.MissAndLady.de / Hamburg, GERMANY

Make Love not War

Photos © Nathalie Mohadjer & Laurentius Schmeier

Many couples have the same problem when they sleep together in bed. Who is hogging all the sheets? Sharing a bedspread is not always so simple... With their single-cut design, Miss Geschick and Lady Lapsus have tried to bring peace to the bedroom. The clearly marked A indicates how things should be divided up, 50% for one and 50% for the other. For the numbers they used ITC Franklin Gothic, a simple typeface without details to make a strictly-drawn division.

Muchas personas tienen el mismo problema cuando duermen en pareja. ¿Quién tiene más parte de la sábana?. Compartir un edredón no es siempre algo pacífico... Con este diseño de corte sencillo, Miss Geschick y Lady Lapsus han intentado llevar la paz a la cama. LaA marca definida indica como las cosas tienen que compartirse, 50% para uno y 50% para el otro. Para los números utilizaron la ITC Franklin Gothic, una tipografía simple, sin ornamentación, que realza esta división estricta y justa.

Die Richtige Seite (The Right Side)

Photos © Nathalie Mohadjer & Laurentius Schmeier

In the same peace-making vein, the two women printed another blanket with the text Die Richtige Seite (always on the right side). Thanks to a second layer of blue on both sides of the bed, they have solved the problem of someone being cold in the night because the other has pulled too much blanket to their side.
To emphasis this sense of harmony, the typeface they opted to use was Forelle MN as this retro font has a very personal handwritten touch.

Con el mismo concepto de paz, estas dos chicas han diseñado otra manta con el texto Die Richtige Seite (siempre en el lado derecho). Gracias a la pieza extra de color azul que hay para ambos lados de la cama, no existe el problema de que alguien pase frío porque el otro estira demasiado de la manta.
Para enfatizar este armónico sentimiento, decidieron utilizar la tipografía Forelle MN porque es un tipo de letra retro con un toque caligráfico muy personal.

MIXKO, ALEX GARNETT & NAHOKO KOYAMA

www.mixko.net / www.alexgarnett.com / Exeter, UK

FUNkey

Alex Garnett of MIXKO sought a simple practical object which would also be attractive in order to reflect the technological process of man and use it in the most basic way: in the same way that primitive man must have used a rock or a tree stump. He chose some computer keys and enlarged them to a point where a person could sit on top of them. His last task was to decide which words or letters to print on the stools; he wanted to make the design seem funny and reflect the relationship between man and technology. He used a simple and rather abrupt typeface for the text. One of the words he chose was "Esc" as it seemed to him to be the natural option for an object of surrealistic proportions and a literal escape from normality. He also created words like "Self Destruct" to reflect the sensation of many when having to face problems with their computers. If this key existed, it might have been pressed more than once.

Alex Garnett de MIXKO, buscó un objeto práctico y simple, pero a su vez atractivo, para reflejar el proceso tecnológico del hombre y usarlo de la manera más básica; del mismo modo en el que el hombre primitivo habría podido usar una roca o el tocón de un árbol. Escogió la tecla del ordenador y le aumentó su tamaño hasta conseguir que cualquier persona pudiera sentarse encima. Su última tarea fue decidir que palabras o letras imprimiría en los taburetes; quería conseguir que los diseños fuesen graciosos y que reflejaran la relación del hombre y la tecnología. Utilizó una tipografía simple y de palo seco para el texto. Una de las palabras que escogió, entre otras, fue "Esc", porque le pareció una opción natural para un objeto de proporciones surrealistas y un escape literal de la normalidad. También creó algunas palabras como "Self Desctruct" (autodestrucción) porque refleja la sensación que muchos han tenido cuando se han tenido que enfrentar a los problemas técnicos del ordenador. Si existiera esta tecla, más de una vez la hubieran deseado presionar.

www.neo2.es / Madrid, SPAIN

Salami Font 2007

Salami Font is a typeface that the cutting-edge monthly NEO2 gave away in issue #63. NEO2 is a completely independent magazine whose principal leitmotif is creativity, a reflection of its slogan: Creative GeNEOration. Fashion, design, art, music, architecture, and technology are the magazine's primary contents. It experiments with new forms of graphic communication and every now and then, it adds new typefaces and graphic resources.
This typeface was inspired by the famous Italian cold cut and it has three versions: Salami 100%, Salami Extra and Salami Fino. The typeface is designed to be played with, either by reducing the tracking and alignment or superimposing colors and shapes. It is really the shape which inspired its name, as well as the fact that it incited the creators to cut it into slices.

Salami Font es una tipografía que la revista mensual de tendencias NEO2 regaló en su número 63. NEO2 es una revista totalmente independiente cuyo principal leitmotiv es la creatividad, de ahí su slogan: Creative GeNEOration. Moda, diseño, arte, música, arquitectura y tecnología, son sus principales contenidos de la revista. Se experimenta con nuevas formas de comunicación gráfica, y cada poco tiempo, incorpora nuevas tipografías y recursos gráficos.
Este tipo de letra está inspirado en el famoso embutido italiano y cuenta con tres versiones: Salami 100%, Salami Extra y Salami Fino. Se trata de una tipografía diseñada para jugar reduciendo su tracking e interlineado o superponiendo sus colores y formas. Precisamente fue la forma la que inspiró su nombre, además de que porque a sus creadores les incitaba a cortarla en rodajas.

ABCDEFG
HIJKLMNOP
QRSTUVWXYZ
1234567890
SALAMI EXTRA

ABCDEFG
HIJKLMNOP
QRSTUVWXYZ
1234567890
SALAMI EXTRA

ABCDEFG
HIJKLMNOP
QRSTUVWXYZ
1234567890
SALAMI FINO

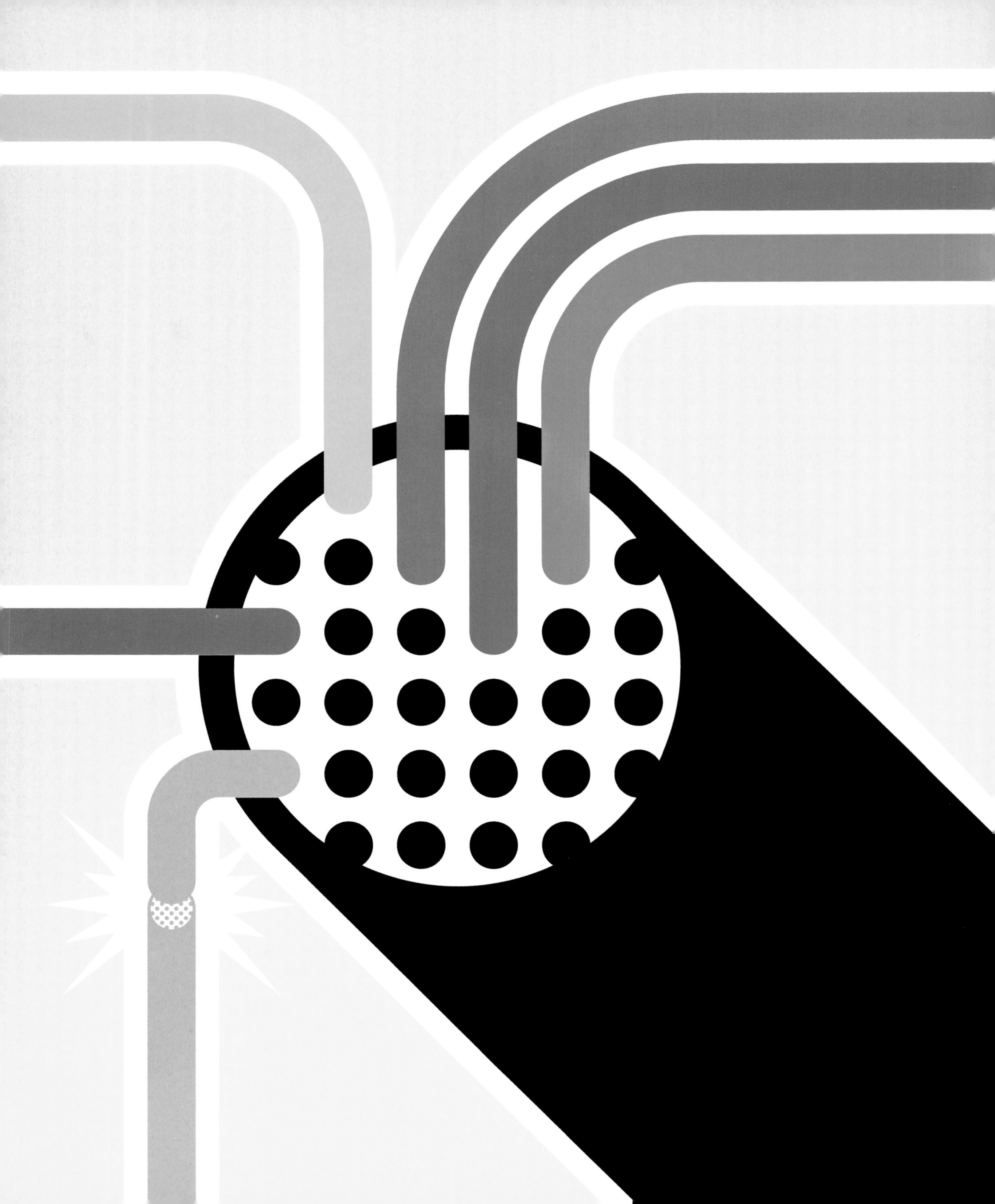

SALAMI FONT
100% FINO EXTRA
®Ipsum Planet - ©Salami Font Neo2 - www.neo2.es

ODED EZER

www.odedezer.com / Tel-Aviv, ISRAEL

Biotypography

Photos © Idan Gil

In paraphrasing the definition of biotechnology, Oded Ezer defines the word "Biotypography" as any typographical application that uses biological systems, live organisms or derived ones to create or modify typographic phenomenon.
The main ideal behind the project was to create a new class of transgenic creature, half insect, half letter, using Hebrew and Latin "creature characters." To carry out the project, this Israeli designer began by thinking of himself as a sort of typographic scientist. These small "creature characters" were made out of black polymer clay ("Fimo"), black sponge and plastic. The artist's idea was that these creatures would come to life and one of the things that caused him a small problem was finding their own balance. After researching this point for some time, Oded realized that in order to draw the line that separated letter from creature, it was unnecessary for either part be whole for the letter to be legible and the creature recognizable.

Como una paráfrasis en la definición de biotecnología, Oded Ezer define a la "Biotipografía" como cualquier aplicación tipográfica que usa sistemas biológicos, organismos vivos o derivados, para crear o modificar fenómenos tipográficos. La idea principal del proyecto era crear una clase de nueva criatura transgénica, mitad insecto, mitad letra, a partir de "tipo criaturas" hebreas y latinas. Para la realización de este proyecto, este diseñador israelí, se trato a sí mismo como a un científico tipográfico. Estas pequeñas "tipo criaturas" se hicieron con arcilla de polímero negra ("Fimo"), esponja negra y plástico. La idea del artista era que estas criaturas adquirieran vida y una de las cosas que le supuso un pequeño problema fue trabajar con su propio equilibrio. Después de investigar durante un tiempo, Oded se dio cuenta que para dibujar la línea que separaba la letra de la criatura no hacía falta que ninguna de las dos partes estuviera entera para que la letra fuera legible y la criatura reconocible.

Abidale

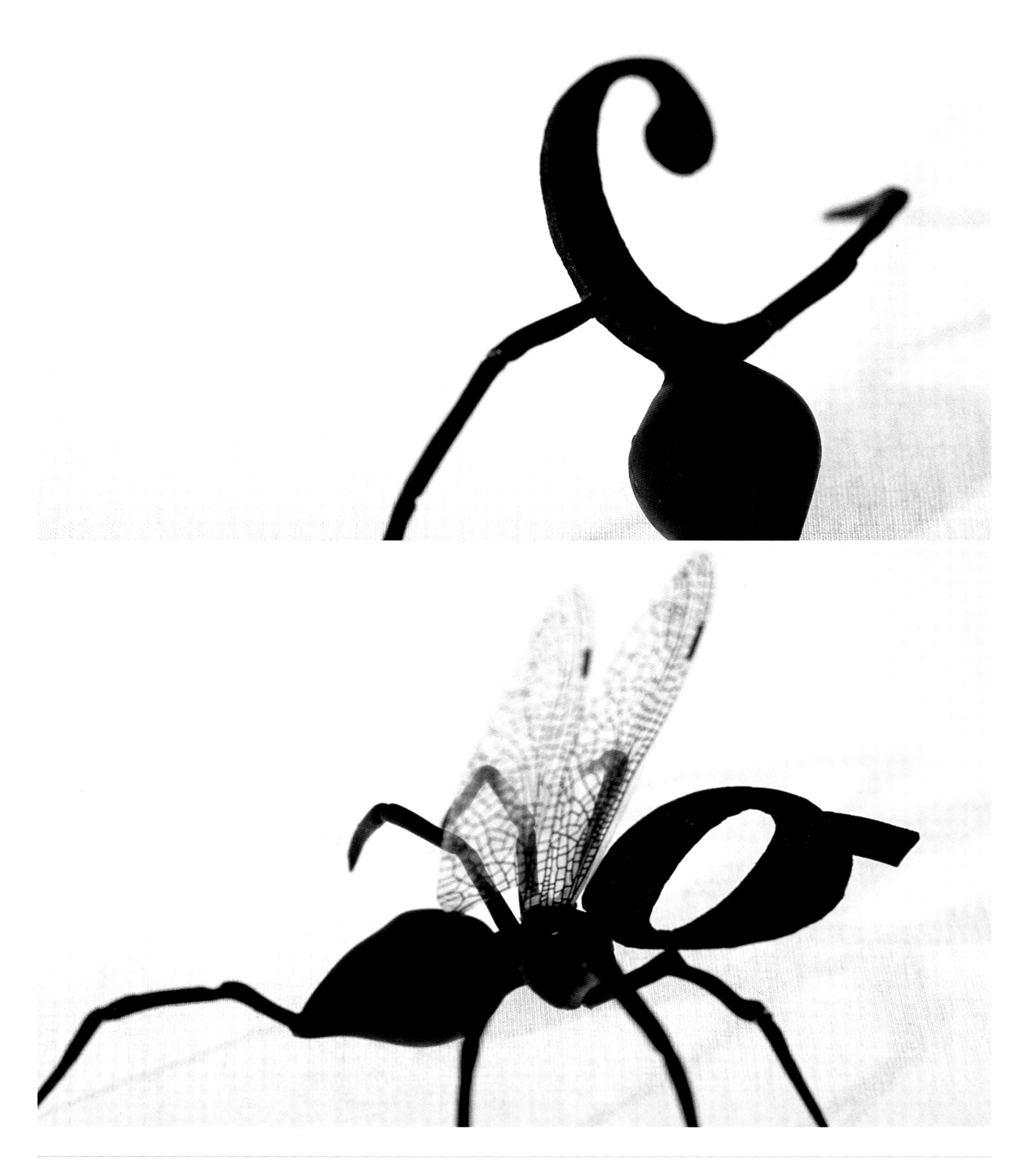

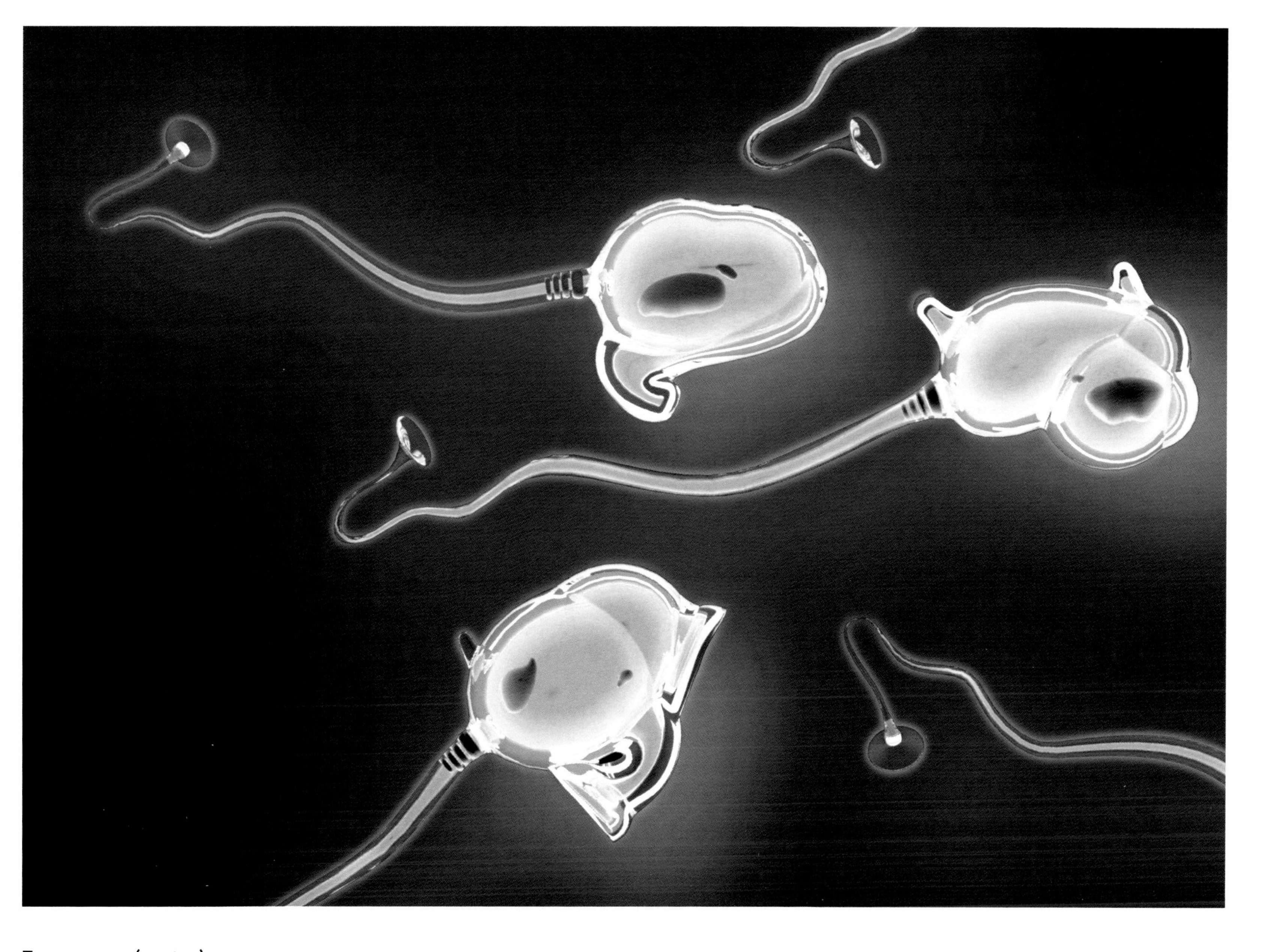

Typosperma (poster)

3D by Amir Lipsicas

Typosperma is the second experimental typo project in his 'Biotypography' series. The main idea of the 'Typosperma' project was to create some sort of new transgenic creatures, half (human) sperm, half letter. These imaginary creatures are cloned sperms, that typographic information has been implanted into their DNA.

Typosperma es el segundo experimento tipográfico del proyecto "Biotypography", La idea principal del proyecto "Typosperma" era crear un surtido de nuevas criaturas transgénicas, mitad esperma (humano), mitad letra. Estas criaturas imaginarias son espermatozoides clonados, y la información tipográfica ha sido implantada en su ADN.

OLGA ADELANTADO

www.olgaadelantado.com / New York, USA / Valencia, SPAIN

Incredible things (not outside)

Photos © Juan González

Olga Adelantado showed this installation at Arco, in the Project Rooms 06. The space itself was soon disregarded and made to disappear behind a wall that was built to block the entry into the cabin; this fact was made clearer by the subtle intervention of a text drilled into the wall itself which allowed one to see the walled-in empty space through the letters themselves. The phrase itself referred to this emptiness on the exterior, in a context specific to the art fair. The artist did not use any existing typeface, as she created her own. For Olga it is very important to work with the idea of a physical and transparent text and in great measure, that the act of looking would be implicit in the text.

Olga Adelantado presentó esta instalación en Arco, dentro de los Project Rooms 06. El espacio fue desaprovechado y hecho desaparecer construyendo un muro que imposibilitaba la entrada a la cabina; este hecho se evidencia con la sutil intervención de un texto taladrado en el propio muro que permite ver a través de sus letras el espacio acotado y vacío. La frase, asimismo, remite al vacío en el exterior, en el contexto específico de la feria. La artista no utilizó ninguna tipografía existente y la creó ella misma. Para Olga era muy importante trabajar sobra la idea de texto físico y transparente y le interesaba, en gran medida, que en el propio texto estuviera implícita la acción de mirar.

THE MOST
INCREDIBLE
THINGS ARE
NOT OUTSIDE

Models for a future disasters

Photo on this page top left © Napoleón Habeica / Photos (rest) courtesy of Olga Adelantado

This simultaneous video installation project shows the cacophony produced by the frenetic and repeated deconstruction of typical catch phrases and sayings written on the windows of a serene room. These commonplace statements, which Olga Adelantado divides into two, three, four and an infinite number of parts, fast become existential poems, moving from rhetorical questions to categorical responses which now might become possible starting points for future agreements, although perhaps not the final ones. Here we can appreciate a concern for the flow and structure of the language, as well as the context in which they are emitted. The typeface used is that of the standard prefabricated stickers with make us think of Russian avant-garde, also of the presentation of the experimental videos of Fluxus and more specifically, Maciunas.

Este proyecto de video instalaciones simultáneas muestra la cacofonía que produce la frenética y repetida deconstrucción de frases tópicas y dichos, inscritos sobre las ventanas de una habitación en calma. Los enunciados que Olga Adelantado secciona en dos, tres y cuatro hasta el infinito, pasan de ser lugares comunes a poemas existenciales, de preguntas retóricas a respuestas categóricas que, aunque quizás no las últimas, sí son las posibles como punto de partida para futuros acuerdos. En ellas podemos apreciar una preocupación por los flujos y estructuras del lenguaje, así como por el contexto donde éstas se emiten. La tipografía usada es la de las letras estándar adhesivas prefabricadas que nos remiten a la estética de las vanguardias rusas, y también en su presentación, a los videos experimentales de Fluxus y mas concretamente de Maciunas.

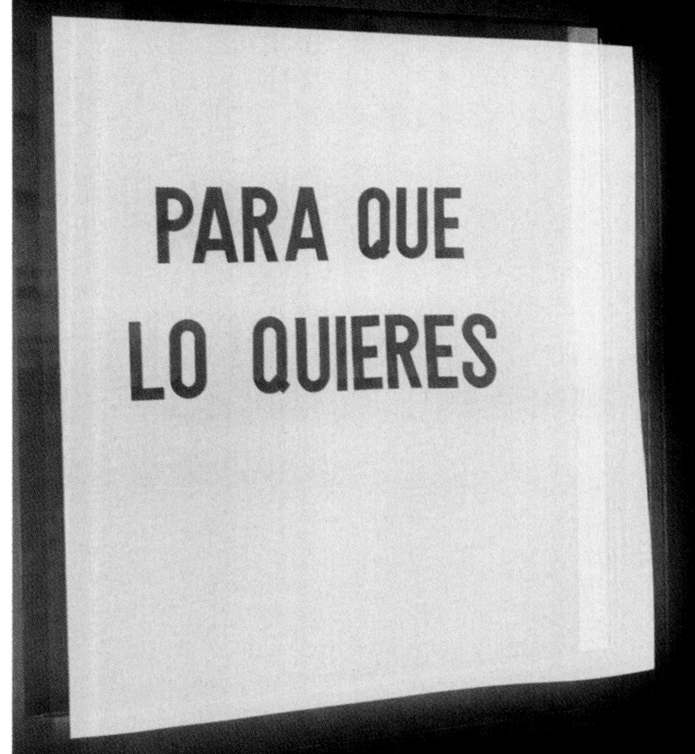

NO SABE EL QUE
QUE LO
NO BUSCA

¿PARA QUE?

CREE

RECUERDA QUE NO
HACES ESTO POR
DINERO

PENTAGRAM & HARRY PEARCE

www.pentagram.com / London, UK

The Dana Center

Photos © Pentagram

The Dana Centre is the only place of its kind in the United Kingdom dedicated to food, drink, conversation, and the practice of science, all coexisting together. This center tries to defy the idea that science is a solemn and serious business. In this space, the scientists sit face-to-face with members of the audience on equal terms. The space is not only designed for speaking, although that too is one of its functions. At the reception area the visitor is bombarded with questions to make them think: from the enormous glass covered in mosaics with different typefaces; a patchwork of ideas, opinions, and fragments of a virtual dialogue where the visitor never feels lost for words. The whole building is decorated in words - on the concrete walls and the tables where visitors sit down to talk.

El Dana Centre es el único local de este tipo en el Reino Unido dedicado a la comida, la bebida, la conversación y realización de la ciencia, en directo. Este centro intenta desafiar la idea de que la ciencia es un negocio solemne y serio. En este espacio, los científicos se sientan cara a cara con miembros del público en términos iguales. El espacio no sólo se diseñó para hablar, aunque también es su función. Desde el área de recepción donde se bombardea al visitante con preguntas que hacen pensar; hasta el enorme cristal cubierto por un mosaico de distintas tipografías, un remiendo de ideas, opiniones y fragmentos de un diálogo virtual, el visitante nunca se siente perdido por las palabras. El edificio entero se decoró con palabras puestas en las paredes de hormigón y en las mesas en las que los visitantes se sentarían a hablar.

When are you
Now hear this: whoever tends the fires has got
if somebody has been burning that fire at both ends to get
, but does it make
even trying.
commonsensus? The mom behind has finally had her baby!
Welcome to the world, little Horace.

Typographic Xmas Cards

Photos © Pentagram

This deck of playing cards was designed by serious typographic fanatics. In each set there are different classic typefaces such as Gill, Clarendon, Franklin Gothic and Didot. The King is "K", and the Ace the letter "A", and as such go the rest of the cards. The jokers have the most ornamental letters. In any case, the common graphic icons are shown in very small figures on two corners of the cards.

Estos juegos de cartas han sido diseñados para maniáticos de las tipografías. En cada juego hay diferentes tipografías clásicas como son la Gill, la Clarendon, la Franklin Gothic y la Didot. El Rei es la "K" (de King, en inglés), el As es la letra "A" y así todas las demás figuras. Los jokers son letras más ornamentadas. De todas maneras, los iconos gráficos corrientes se pueden apreciar, de forma muy reducida, en dos de las esquinas de las tarjetas.

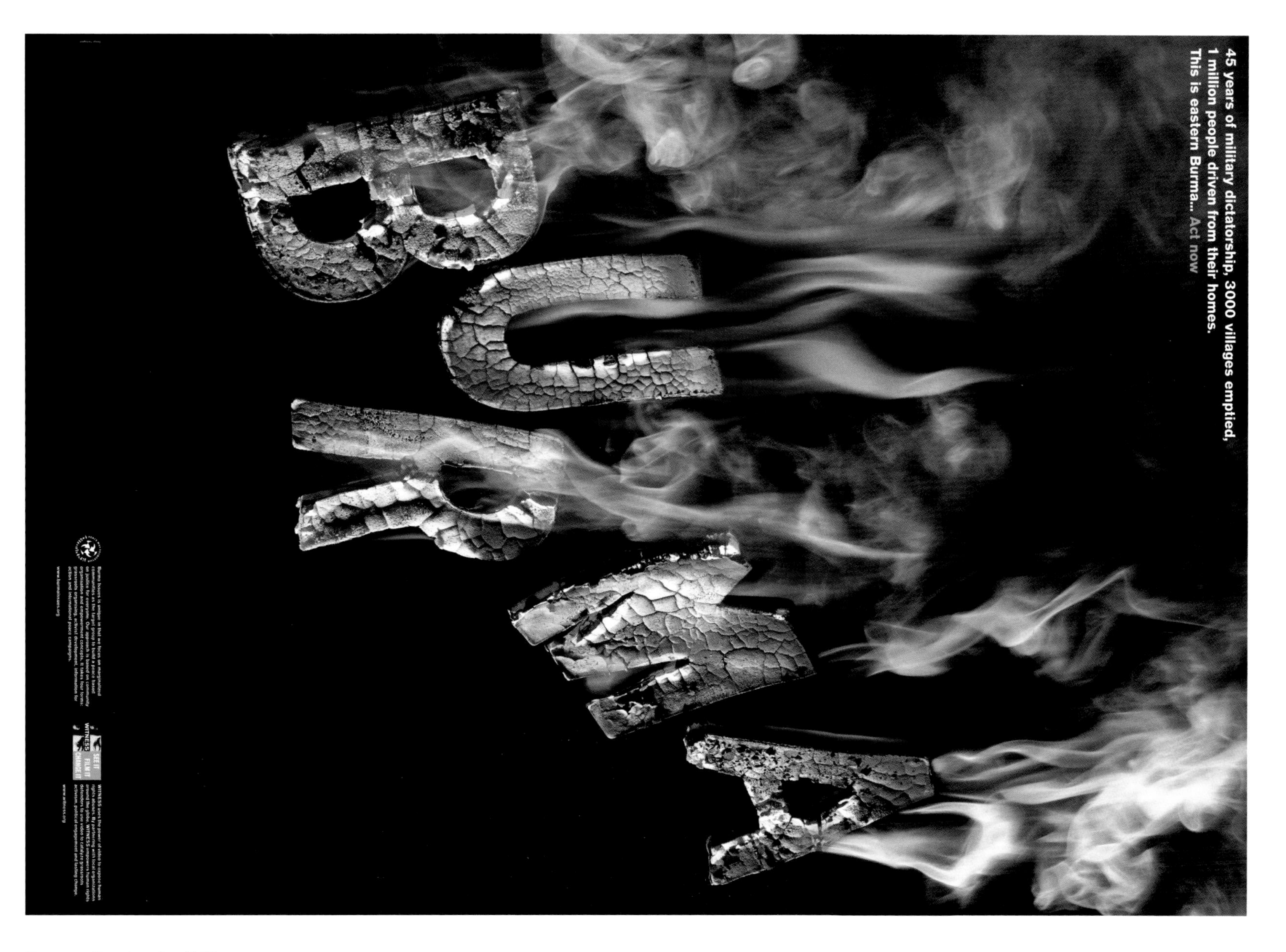

Burma Poster for Witness

Photos © Pentagram

Harry Pearce designed an A0 poster commissioned by Witness and Burma Issues to raise people's awareness of the crisis happening to rural peoples in Eastern Burma. Throughout the area, houses and villages were being burned to the ground. Harry tried to express what was happening in the most direct and aggressive way possible to further underscore the force of the language.

Harry Pearce diseñó un póster A0 encargado por Witness y Burma Issues para concienciar a la gente de la crisis que vivían los civiles rurales en Birmania del Este. En toda la zona, casas y pueblos estaban siendo quemados. Harry intentó expresar lo que ocurría de una manera más directa y agresiva que pudiera superar la fuerza del lenguaje.

PEPO SALAZAR

www.peposalazar.com / New York, USA / Foronda, SPAIN

Iron Maiden Piece (with hidden Rear)

Pepo Salazar created this piece made of neon lights and plastic forming a play on words with the name of the famous heavy metal band Iron Maiden. Alternating the order of letters on the band's "logo", the artist was able to find the meanings that might be hidden within. Some of the new phrases are written in incorrect English, "No a Remind" (no are mind), and the more obvious "I rain on me". The title of the piece also suggests the existence of a new word, "Rear", inserted or hidden within. He used the typeface Hiragino Maru Gothic Pro Extra Bold as he wanted to use a similar font (but never the same) as that of the "Dunkin Donuts" name to emphasize the idea of a commercial brand as a logo. Different ideas are suggested as a result, such as the probability of hidden meanings in logos and on the other hand, the commercial interest of certain "products" to cultivate the idea of subversive subcultures for strictly commercial purposes.

Pepo Salazar creó está pieza hecha con luces de neón y plástico, formando un juego de palabras con el nombre de la célebre banda de heavy metal, Iron Maiden. Alterando el orden de las letras del "logotipo" de la banda, el artista consiguió encontrar algunos significados que podrían estar ocultos en él. Algunas de estas nuevas frases están formadas en un inglés incorrecto,"No a Remind" (no are mind), a la vez que más abierto "I rain on me". El título de la pieza, sugiere asimismo la existencia de una nueva palabra "Rear" inserta o escondida en ella. Utilizó la tipografía Hiragino Maru Gothic Pro Extra Bold porque quería utilizar una tipografía similar (nunca la misma) a la de la marca "Dunkin Donuts" para enfatizar la idea de logotipo y marca comercial, sugiriendo así distintas ideas como la probabilidad de significados ocultos en el logotipo y, por otro lado para señalar el interés comercial de ciertos "productos" que manejan la idea de subculturas subversivas con fines estrictamente comerciales.

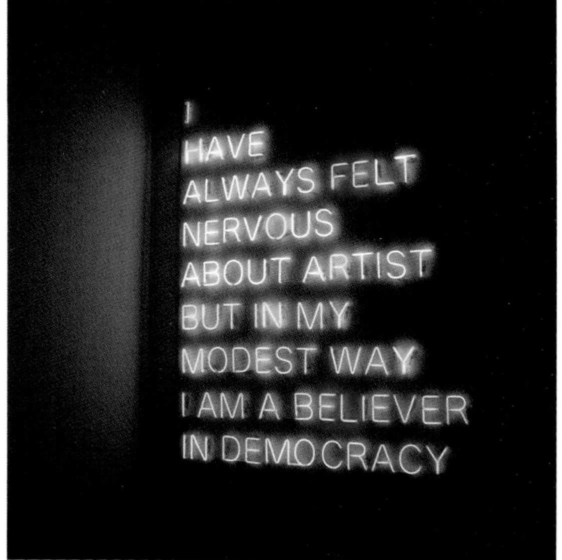

A mother

This installation, built in neon tube, is an extract from a text by M. Duchamp and Beatrice Wood written in 1917 signed by "a mother" that was published in the 2nd issue of their magazine together with Henri Pierre Roche and The Blindman. It attempted to react to the rejection of the famous Fountain by M. Duchamp by the Armony Show of 1913. The text ironically wrote of the popular (moral) vision of contemporary art and the general distrust of artists. The work of Pepo Salazar consisted of making this text into an advertisement, a warning in neon lights which would shut on and off reading the phrase "Buy me, I am horny" inserted into the body of text as a kind of subliminal message. For the piece, the artist simply wanted to use the classic neon typography of Bruce Naumann and other conceptual artists of the 70's, in this case Hiragino Maru Gothic Pro Regular.

Esta instalación, hecha con un tubo de neón, es un extracto de un texto de M.Duchamp y Beatrice Wood que escribieron en 1917 bajo la firma de "una madre" para ser editado en el número 2 de la revista que publicaron junto a Henri Pierre Roche, The Blindman y que pretendía ser una reacción al rechazo de la célebre Fountain de M.Duchamp en el Armony Show de 1913. El texto, en tono irónico, habla sobre la visión popular (moral) del arte contemporáneo y sobre la desconfianza hacia los artistas. La intervención de Pepo Salazar, consistió en hacer de este texto un anuncio, un reclamo en luces de neón en el que mediante un sistema de encendidos y apagados, se pudiera leer la frase Buy me, I am horny (cómprame, estoy caliente) inserto en el cuerpo del texto y como posible mensaje subliminal. Para esta pieza, el artista trata simplemente de utilizar una tipografía clásica en los neones de Bruce Naumann y demás artistas conceptuales de los 70, en este caso es la Hiragino Maru Gothic Pro Regular.

Britzsza
uh
Ugffh
ffggi
giii
ffggi
giii iitzsza
jogk
ffu uh.

Score for Sonata

Photo © Vicente Pouso

"Store for Sonata" is a limited edition of double-sided posters published for an exhibition in Amsterdam which was distributed on the gallery floor in great piles. On the poster was the "Score", the first few lines of a vocal composition which was playing in the gallery. The spectator could take a poster free of charge. For this project, Pepo used the "American Typewriter" typeface to suggest the idea of a private typed-out text as the subject was in fact a "score". He decided to use a simple and clear typeface to reinforce the reading of this complexity galimatías.

"Store for Sonata" es una edición limitada de pósters a doble cara que se publicaron con motivo de una exposición en Ámsterdam y que se distribuyeron en el suelo de la galería en montones. Lo que se representaba en el póster era el "Score", la partitura (las primeras estrofas) de una composición vocal que sonaba en el espacio. Los espectadores podían coger un póster de forma gratuita. Para este proyecto, Pepo utilizó la tipografía "American Typewriter" para sugerir la idea de texto privado, mecanografiado ya que se trataba de un "score". Le interesó utilizar una tipografía sencilla y clara que apoyase la lectura del galimatías.

ROBERT J. BOLESTA

www.robertbolesta.com / Brooklyn, NY. USA

Value Pack

This alphabet was a project Rob Bolesta made for his typography class when he was studying graphic design at the Pratt Institute in Brooklyn, NY. The task was to make an alphabet from any object they could find, so he decided to work with chopped meat and raw hamburger meat because it allowed him to mould and make the form of each letter easily. Rob realized that he could use the designs of the logo and sticker themselves, leaving them on the original packets. Robert's intention was none other than criticize the shabby and tacky style of the American supermarket.

Este alfabeto fue un proyecto que Rob Bolesta realizó para la clase de tipografía durante sus estudios de diseño gráfico en el Instituto Pratt de Brooklyn, NY. Se trataba de hacer un alfabeto a partir de cualquier objeto encontrado y él decidió trabajar con carne picada y con carne cruda de hamburguesa porque le permitían moldear y hacer la forma de cada letra con facilidad. Rob se dio cuenta de que podía utilizar los diseños de las etiquetas adhesivas y logotipos dejándolos en el paquete original. La intención de Robert no es otra que criticar el diseño cutre y hortera de algunos supermercados norteamericanos.

U.S.D.A.
CHOICE
Savings

Savings
U.S.D.A.
CHOICE

Savings

U.S.D.A.
CHOICE
Satisfaction Guaranteed
Savings
BEEF GROUND
80% LEAN 20% FAT UP
$9.76
SAVE
$1.96
WITH BONUSCARD
SINCE 1978
CERTIFIED
ANGUS BEEF

RON ARAD FOR THE RUG COMPANY

www.ronarad.com / www.therugcompany.info / London, UK

SHAG

Photo © The Rug Company / Made by The Rug Company

Ron Arad is known for his sculpture designs which make the most of shape and function. Known as an artist, designer and architect, his work pleases the eye at the same time it challenges the mind, combining high-tech processes with an organic aesthetic. His design of SHAG for The Rug Company is no exception.
With a limited production of only ten, these hand-tied rugs paid homage to the definitive style of Arad and his fascination for the materials used. The result is an intelligent fusion of technical precision and tradition, as evidenced by the conventional textile methods and the exceptional quality that The Rug Company is famous for. The word is made of strands of yarn wound in wool or cord, in allusion to the materials used to make the rug. All these strands create the image of a hugely enlarged heap of yarn. The overall aim of the technique is to give the word a two-dimensional effect. The typeface used for the design was specially created by Arad to emphasis and underscore the texture of the word "shag".

Ron Arad es conocido por sus diseños esculturales que explotan sus posibilidades formales y funcionales al máximo. Conocido como artista, diseñador y arquitecto, su trabajo complace al ojo que lo observa, así como también, es desafiante para la mente, combinando procesos de alta tecnología con la estética orgánica. El diseño de su alfombra SHAG para The Rug Company no es ninguna excepción.
Producida como una edición limitada de diez alfombras, esta manta anudada a mano celebra el estilo definitivo de Arad y su fascinación por los materiales. El resultado es una fusión inteligente de precisión técnica y tradición histórica que muestra los métodos de tejido convencionales y la calidad excepcional por la cual The Rug Company es conocida. La palabra se hizo con hilos enroscados de lana o cuerda, como alusión al material usado para la fabricación de la alfombra. Todos estos hilos crearon la imagen de un montón de hilos enormemente ampliados. La intención de toda esta técnica es que se creara un efecto de dos dimensiones para la palabra. El tipo de letra usado para el diseño fue especialmente creado por Arad para enfatizar y subrayar la textura de la palabra "shag".

SAGMEISTER INC.

www.sagmeister.com / New York, USA

Trying to Look Good Limits my Life

Photos © Mathias Ernstberger

According to Stefan Sagmeister, the title and content of this project reflect one of the few things he has been able to learn in his life. Split into 5 parts, (Trying/to Look/Good/Limits/my Life) the project was exhibited as a sequence of typographic posters in Paris, where these words and phrases would be seen as sentimental congratulatory cards abandoned in a park. Each of the words was created with different typefaces that kept an aesthetic relationship with the environment where they had been placed.

El título de este trabajo y su contenido refleja, según el propio Stefan Sagmeister, una de las pocas cosas que ha aprendido a lo largo de su vida. Dividida en 5 partes (Trying/to Look/Good/Limits/my Life) fue expuesta como una secuencia de carteles tipográficos en París, donde estas palabras y frases aparecían como tarjetas de felicitación sentimentales abandonadas en el parque. Cada una de las palabras se creó con tipos de letras diferentes guardando una relación estética con el entorno donde se las había ubicado.

To Look
Good
MY LIFE

Lou Reed Poster

From the agency Sagmeister, Inc., he designed the promotional poster for the Lou Reed album "Set the Twilight Reeling". The album lyrics were very personal and the aim of the designers was to reflect this concept of intimacy perfectly, writing fragments of the song lyrics directly on the face of the singer. The calligraphy adapted to the curves of the face, further underscoring the album's concepts of intimacy and personality.

Desde la agencia, Sagmeister, Inc., se diseñó el póster promocional del álbum de Lou Reed, Set the Twilight Reeling. Las letras de este álbum eran muy personales y el objetivo de los diseñadores fue reflejar precisamente, el concepto de intimidad, escribiendo fragmentos de las letras de las canciones directamente sobre la cara del cantante. La caligrafía se adapta a las formas del rostro realzando todavía más los conceptos de intimidad y personalidad del álbum.

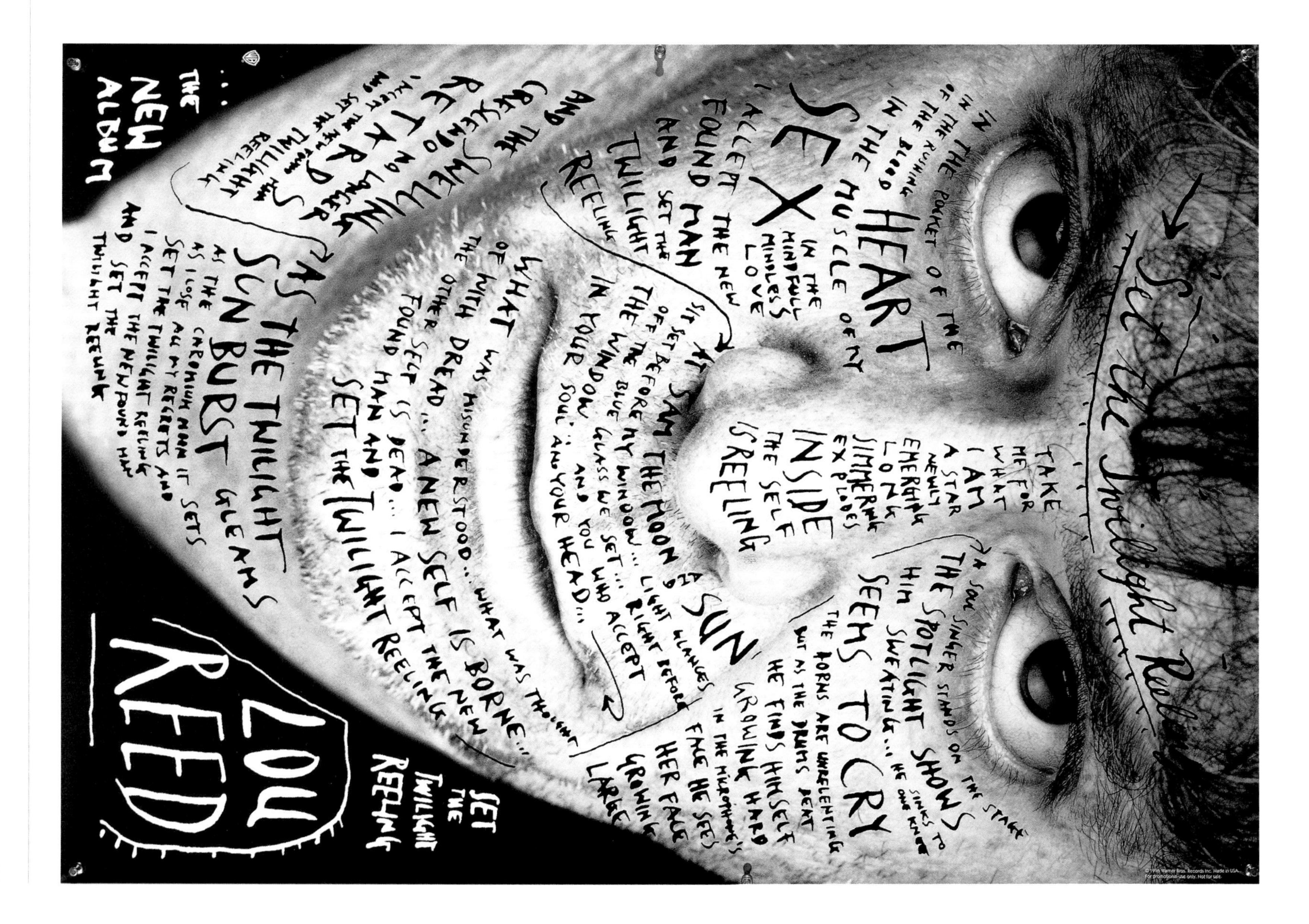

Aiga Poster

This conference sign for Aiga Detroid attempted to visualize the pain which seems to accompany the most part of their design projects. According to Stefan Sagmeister, one of the collaborators had carved all the typefaces into his skin. He said that it was really quite painful...

Este cartel de conferencias para Aiga Detroid, trató de visualizar el dolor que parece acompañar la mayor parte de sus proyectos de diseño. Según el propio Stefan Sagmeister, uno de sus colaboradores le fue cortando toda la tipografía sobre su piel. Cuenta que realmente fue muy doloroso...

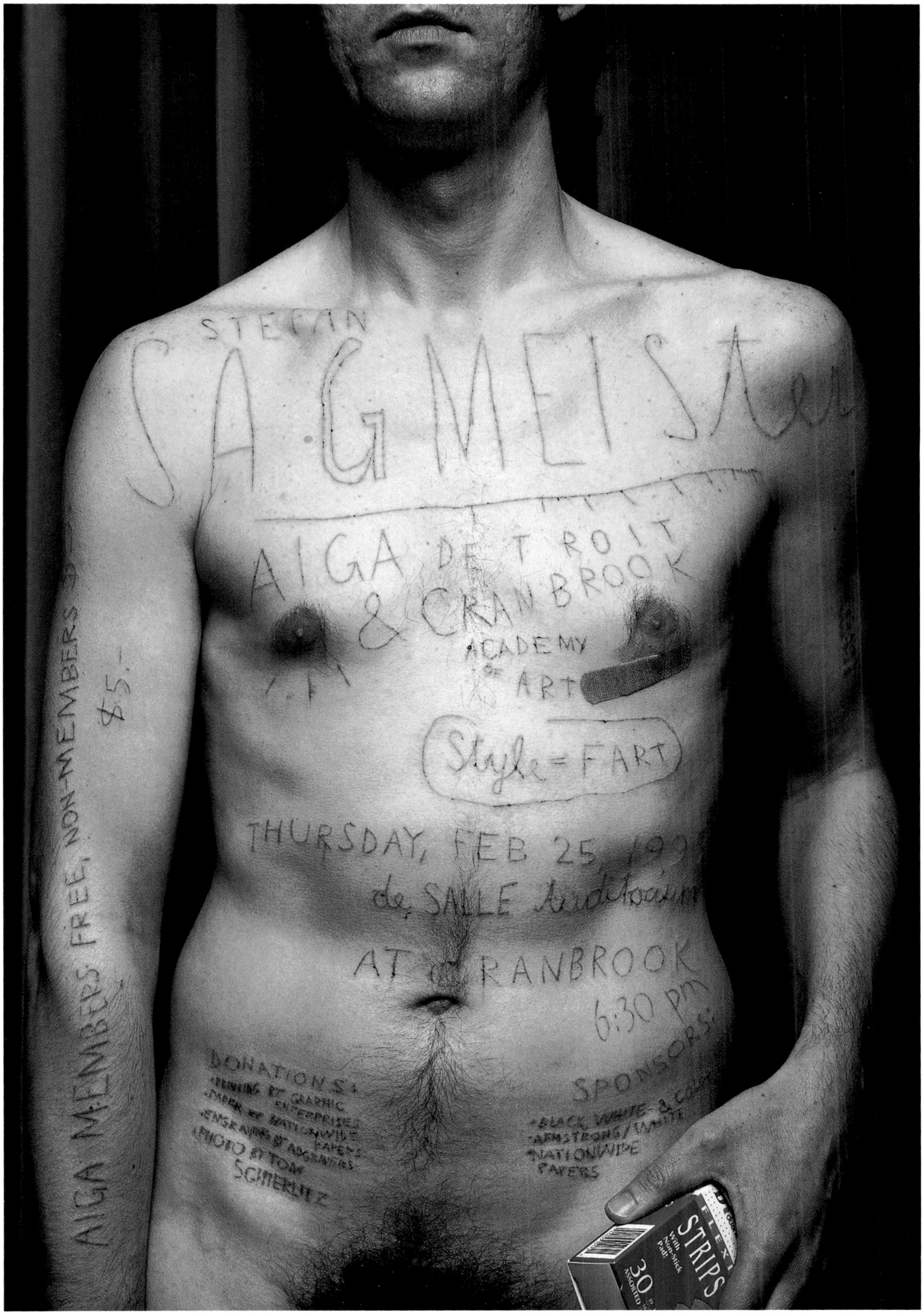

SAVE OUR SOULS

www.saveoursouls.se / Stockholm, SWEDEN

Fuckin Far From OK

Photos © Save Our Souls

The letters which form the phrase, Fuckin Far From Ok, were structured in such a way so they formed a shelf, a declaration of principles strong enough to hold books. This shelf belonged to the first collection of Save Our Souls inspired in the oil industry. The typeface was specially designed for the product and defined by the material that was used: valchromat.

Las letras que forman la frase, Fuckin Far From Ok, se estructuraron para que formaran una estantería. Una fuerte declaración de principios guarda los libros en su sitio. Esta estantería pertenece a la primera colección de Save Our Souls inspirada en la Industria del petróleo. El tipo de letra fue diseñado especialmente para el producto y definido por el material que se usó: el valchromat.

SEMdesign

www.semdesign.nl / Utrecht, THE NETHERLANDS

Take your Time

Photos © SEMdesign

Sylvie van de Loo of SEMdesign designed a tablecloth based on the short amount of time we currently devoted to the act of eating. The tablecloth tries to encourage people to spend more time at the table and help spawn conversation between the diners. The question and answers of these riddles are mixed up and can be read on both sides of the table. The typography of the text had to be clear, legible and neutral, so Sylvie opted to use Arial, which is also a typeface which causes few problems when printing on fabric.

Sylvie van de Loo de SEMdesign, ha diseñado un mantel basándose en el poco tiempo que le dedicamos actualmente a la hora de la comida. Este mantel está pensado para que la gente pueda pasar más tiempo sentada en la mesa y ayuda a mejorar la conversación entre los comensales. Las preguntas y respuestas a estos acertijos están mezcladas y pueden ser leídas desde ambos lados de la mesa. La tipografía para el texto debía ser clara, legible y neutra, es por eso que Sylvie se decantó por la Arial, que además es una tipografía que no da problemas a la hora de imprimir en un tejido.

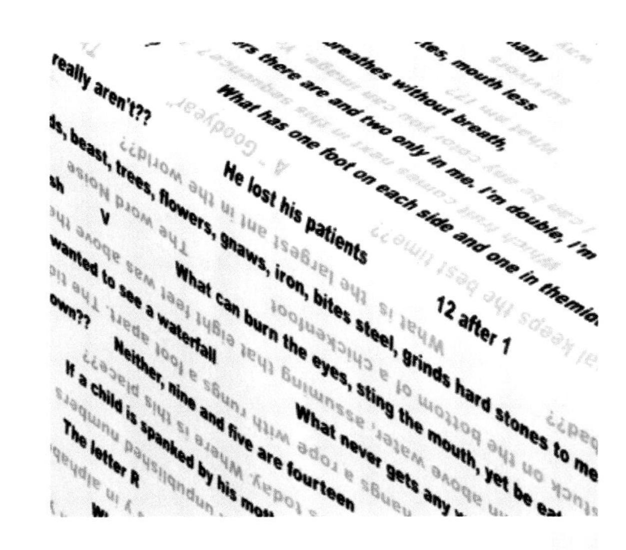

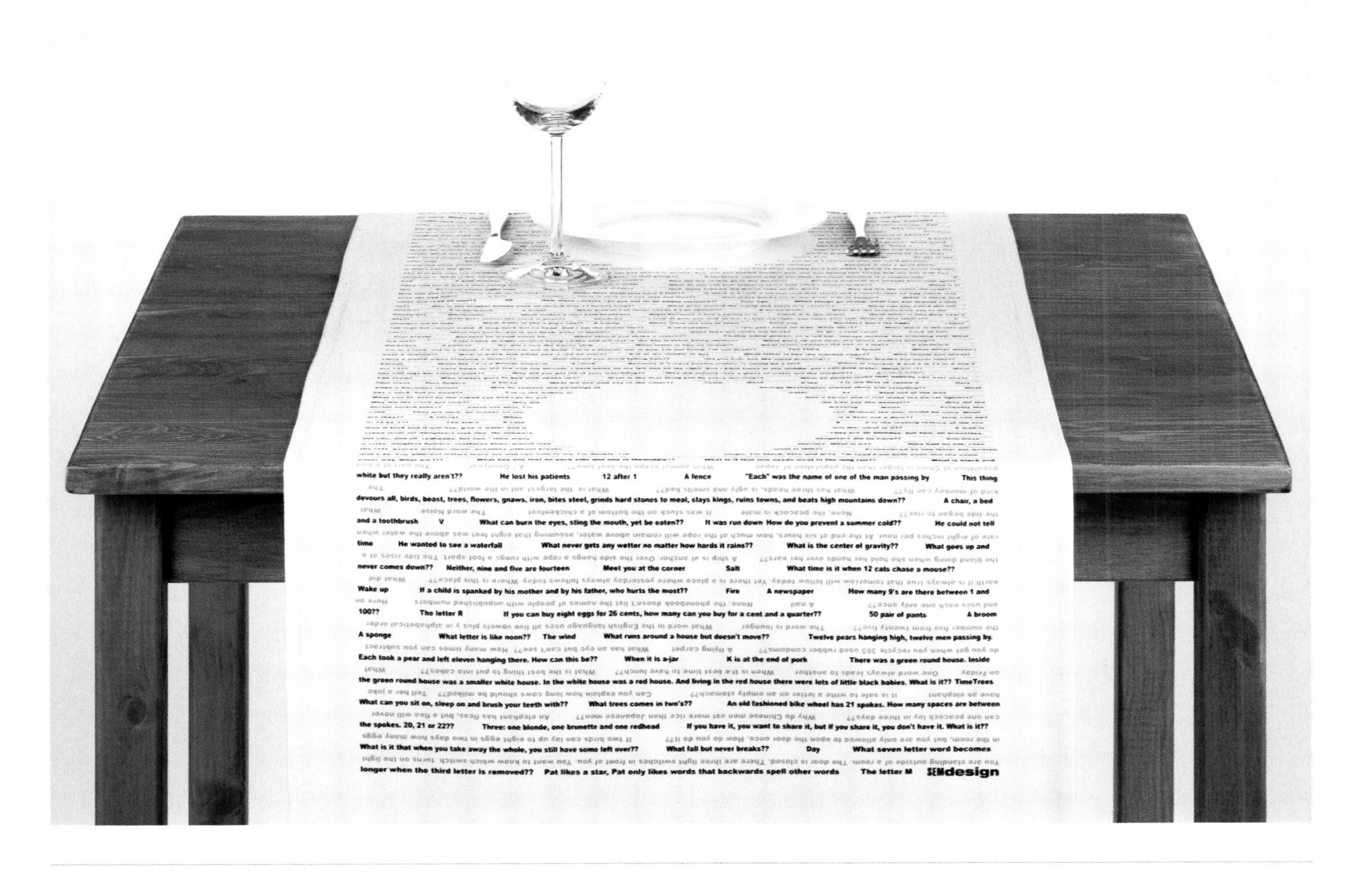

SET 26

www.set26.ch / www.erichkeller.com / Sulgen, SWITZERLAND

Set 26

Photos © Set 26

This set of furniture is consists of the 26 letters in the alphabet and has been designed to cover both functional and aesthetic needs. Thanks to the strength of the typography, the surface of each letter allows them to be an object of storage intended for different purposes, according to the shape of the letter. Thanks to the proportions, they are easily adaptable to any setting, as they strengthen the character of the room or living space in question. Words are created by the combination of letters in the set, and can be metaphorical and quite clear at the same time, according to the surroundings where they are placed.

Este set de mobiliario está compuesto por las 26 letras del abecedario y ha sido diseñado para cubrir necesidades, tanto funcionales como estéticas. Gracias a la robustez de la tipografía, la superficie de la letra permite que cada carácter sea un objeto de almacenaje destinado a diferentes usos, según la forma de cada letra y, gracias a sus proporciones, son fácilmente adaptables a cualquier entorno, pudiendo hacer resaltar el carácter de una habitación o una sala de estar. Las palabras que se crean a partir de las combinaciones de las letras de este set, pueden ser metafóricas o muy evidentes al mismo tiempo, según el entorno donde se las ubique.

KID

SHOP

TIM

BAR

DRINK

INFO

SET

www.sighn.net / Chicago, IL. USA

Text Work

Photos © Sighn

This Chicago artist has tried to return to the roots of text and communication, attempting to find their most basic and essential elements to express emotions. The artist works with different types of materials to create a word or phrase that the viewer will find hidden below the shape of each piece. In many of the pieces, it is their shape itself which most draws the viewer's attention, but once they find the inherent word, the piece as a whole has much more weight. All the typefaces are hand written by the artist who plays with their shape and arrangement according to the degree of obviousness the piece requires.

Este arista de Chicago intenta regresar a la raíz del texto y de la comunicación, tratando de encontrar los elementos más básicos y esenciales para expresar las emociones. Trabaja con distintos tipos de materiales para crear una palabra o frase que el espectador encuentra escondidas bajo la propia forma de cada pieza. En muchas de sus piezas, son las propias formas las que llaman la atención del espectador, pero una vez se encuentra la palabra que está intrínseca, la pieza en general cobra mucha más fuerza. Todas las tipografías están hechas a mano por el propio artista que juega con su forma y disposición según el grado de evidencia que le quiera dar a su obra.

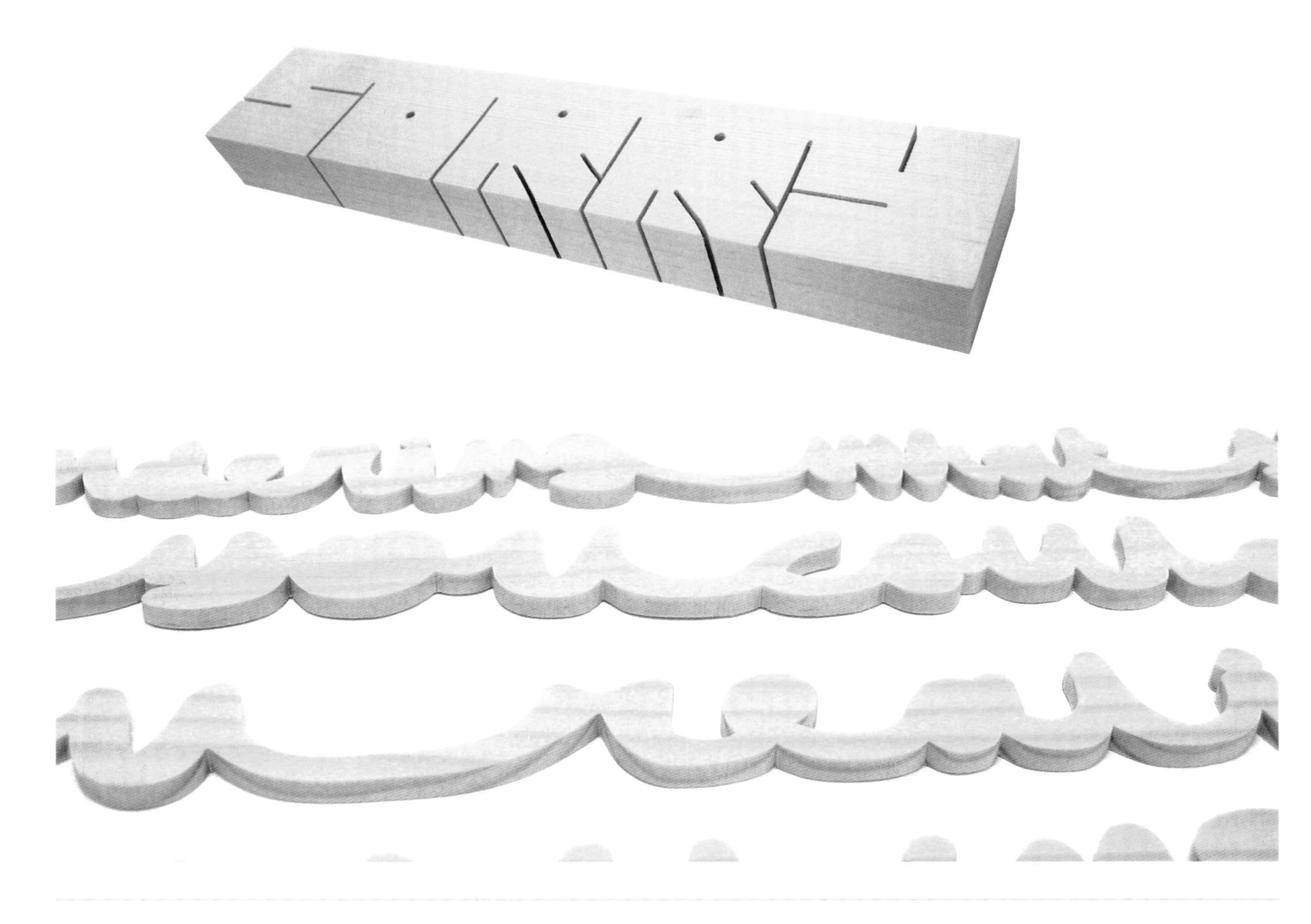

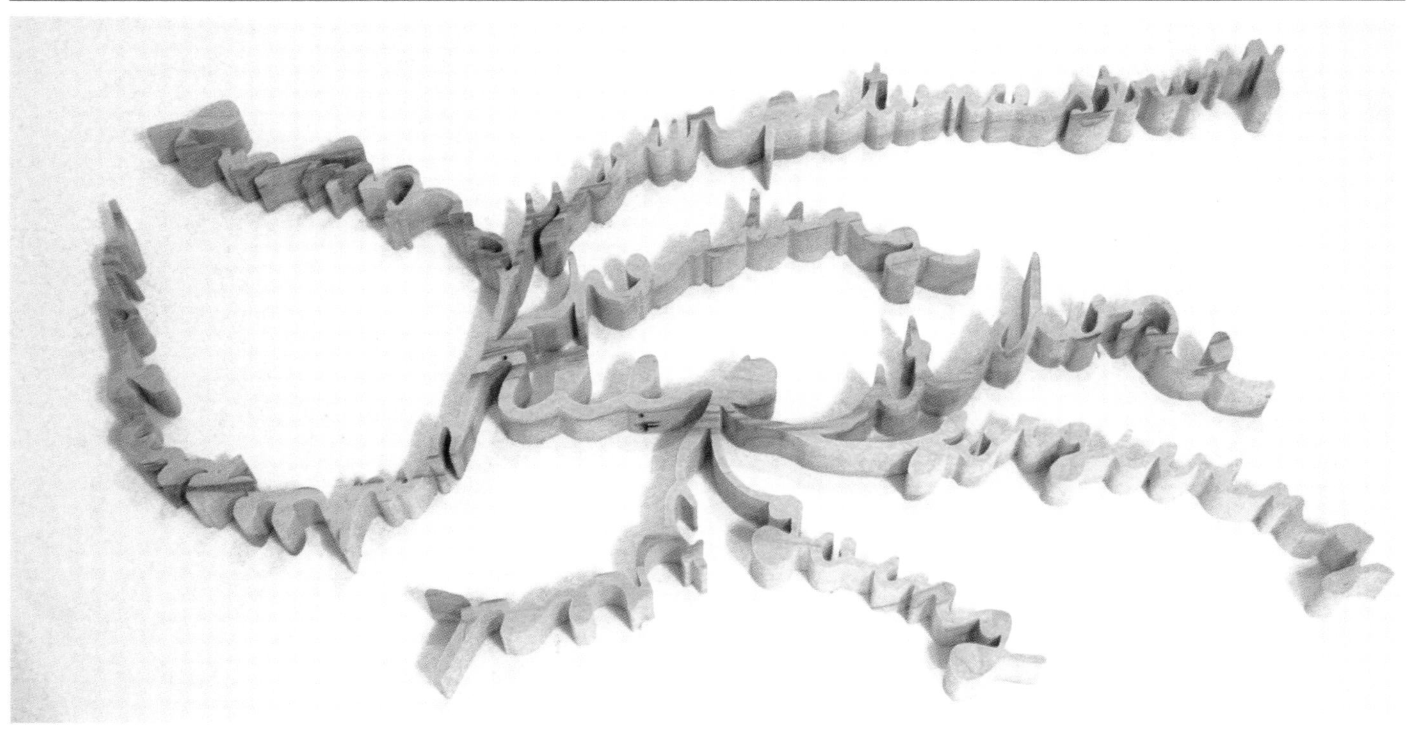

Geometric Pro Bold

www.silvia-b.com / www.skinover.biz / Rotterdam, THE NETHERLANDS

Love & Hate

Photos © Silvia B.

Silvia B. designed this line of leather gloves in 12 different models, each showing a specific skin distinctiveness. Within this series a tattooed model could not be missed. The artist chose the LOVE/HATE knuckle tattoo, because she considers this the most classic tattoo for fingers, playing with the unity and partition of the two hands and the indivisibility of the two emotions. Instead of the more archetypal self-tattooed hand-written letter, she used the typeface English Towne. This heavy gothic one she picked out, because it goes well with the love/hate feeling and it is at first glance mainly decorative, fitting the looks of the elegant ladies gloves. Another aspect of this font she was attracted to, is that it makes the words not very legible; people do have to make some effort to unscramble what was written.

Silvia B. diseñó una línea de guantes de piel, con 12 modelos diferentes en los que cada uno muestra un tipo distintivo de piel. Uno de ellos es un par de guantes con las palabras LOVE/HATE (amor/odio) tatuadas en los nudillos. Estas palabras fueron escogidas por la artista porque consideró que era una manera clásica y fuerte de representar el juego de unidad y partición de las dos manos, y la indivisibilidad de las dos emociones descritas. La tipografía que usó para las palabras es la English Towne. En lugar de utilizar un arquetipo de letra tatuada, eligió un tipo de letra gótica más bonita porque pensó que encajaba muy bien con el sentimiento de romántico de los guantes y, además, a primera vista, era un tipo de letra muy decorativo aunque no muy legible, pero este último punto también le gustó porque le atraía la idea de que la gente tuviera que tomarse un tiempo para averiguar que es lo que hay escrito.

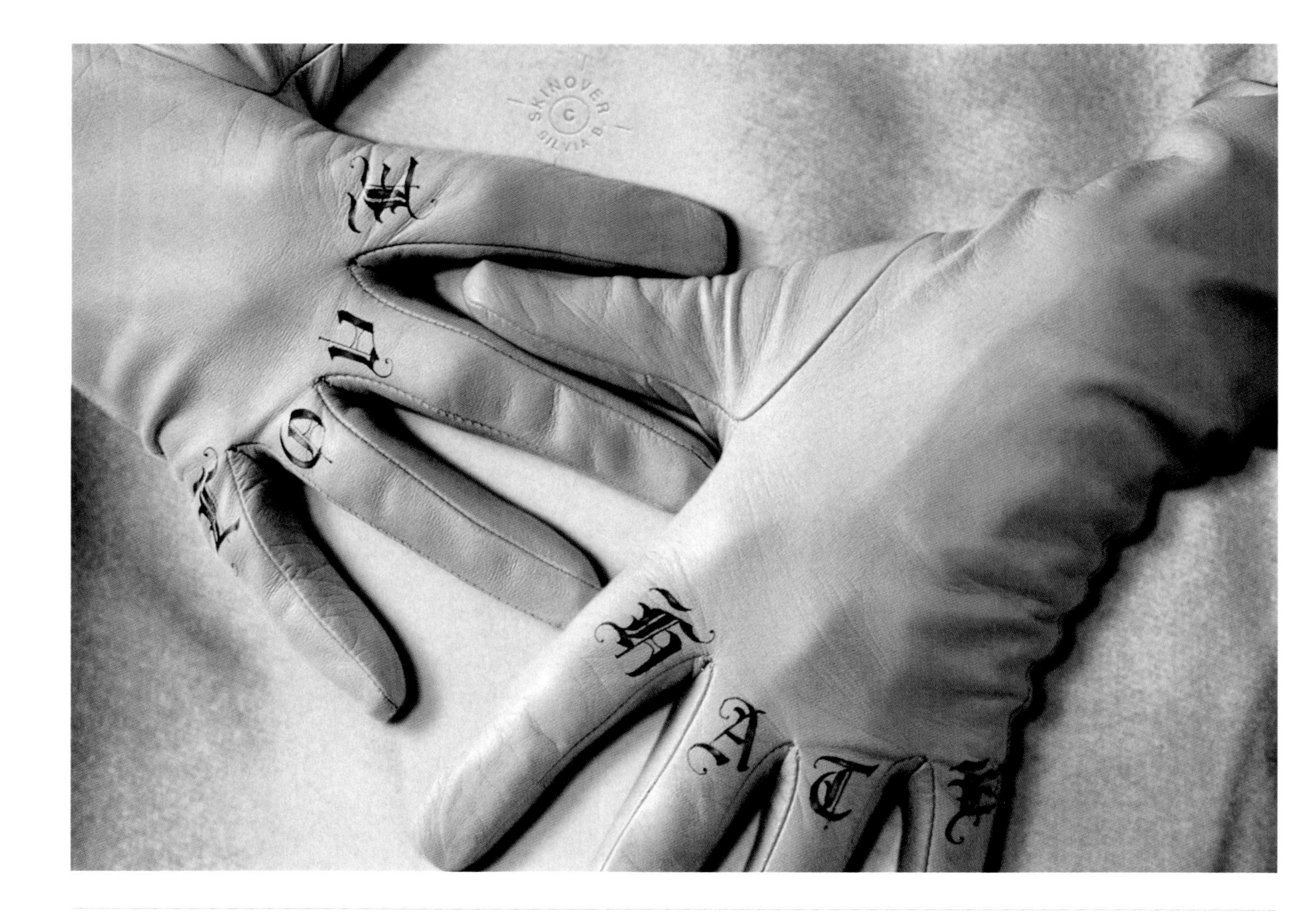

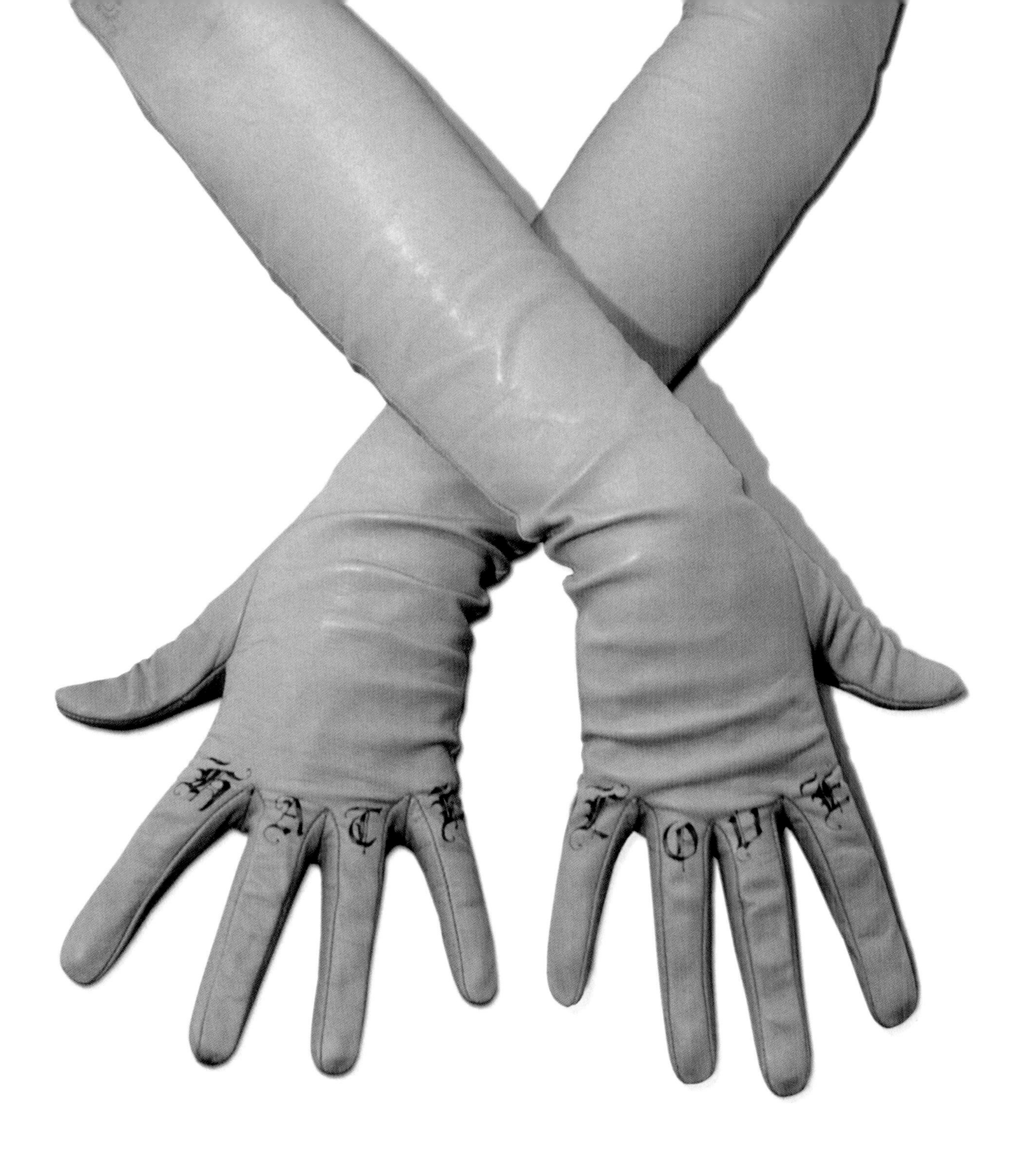
HATE
LOVE

TERESA MULET

www.studio-t.org / www.teresamulet.blogspot.com / Caracas, VENEZUELA

tipo útil®

Photos © Beto Gutierréz / Photos Food Bag (156-157) © Juan José Olavarría

Tipo útil® is Teresa Mulet's personal project which began with a typographic system to give life to a set of small objects. With tipo útil®, she wants to test the hypothesis that if she tackles three dimensions using typography, she can establish a method. Her current development and research is the beginning of a search for new ways of planning which will take into account the relationship between objects and communication.

Tipo útil® es un proyecto personal de Teresa Mulet en el que se parte de un sistema tipográfico para dar vida a una familia de objetos utilitarios. Con tipo útil® quiere someter a prueba la hipótesis de que abordar lo tridimensional a partir de lo tipográfico se puede constituir en un método. El desarrollo e investigación actual es el inicio de una búsqueda de formas nuevas de proyectar que tendrán en cuenta las relación que existe entre los objetos y la comunicación.

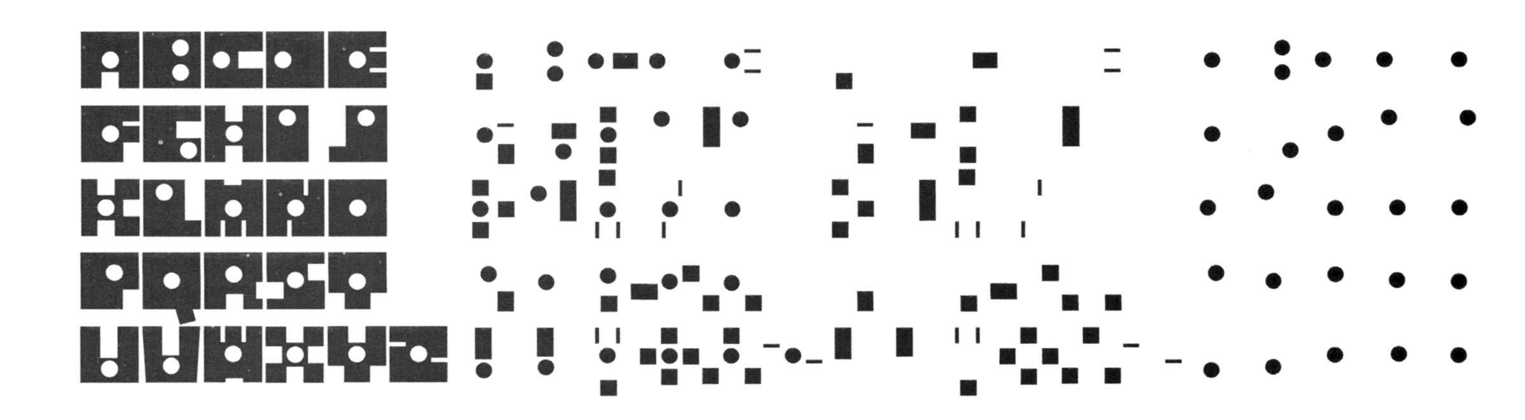

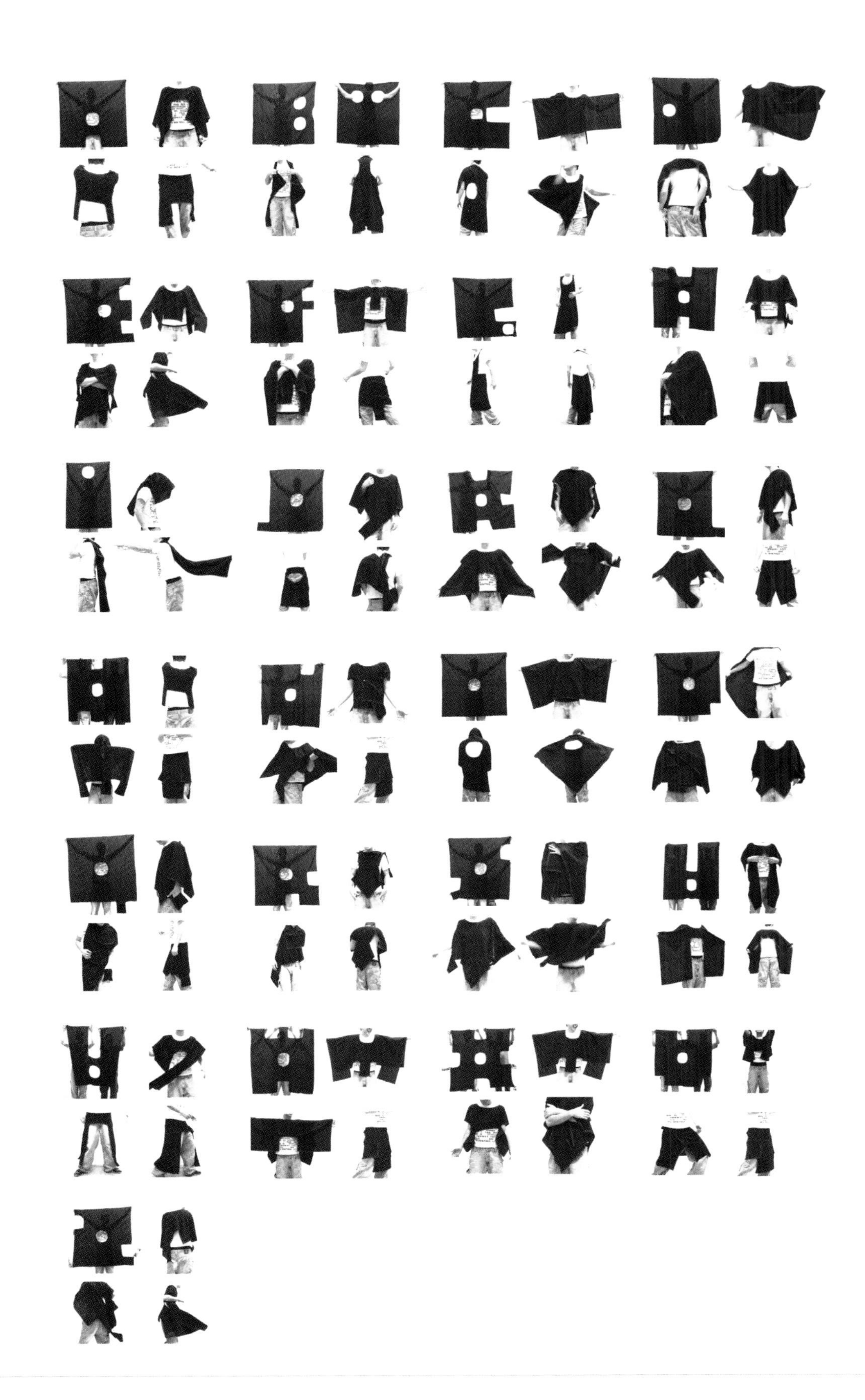

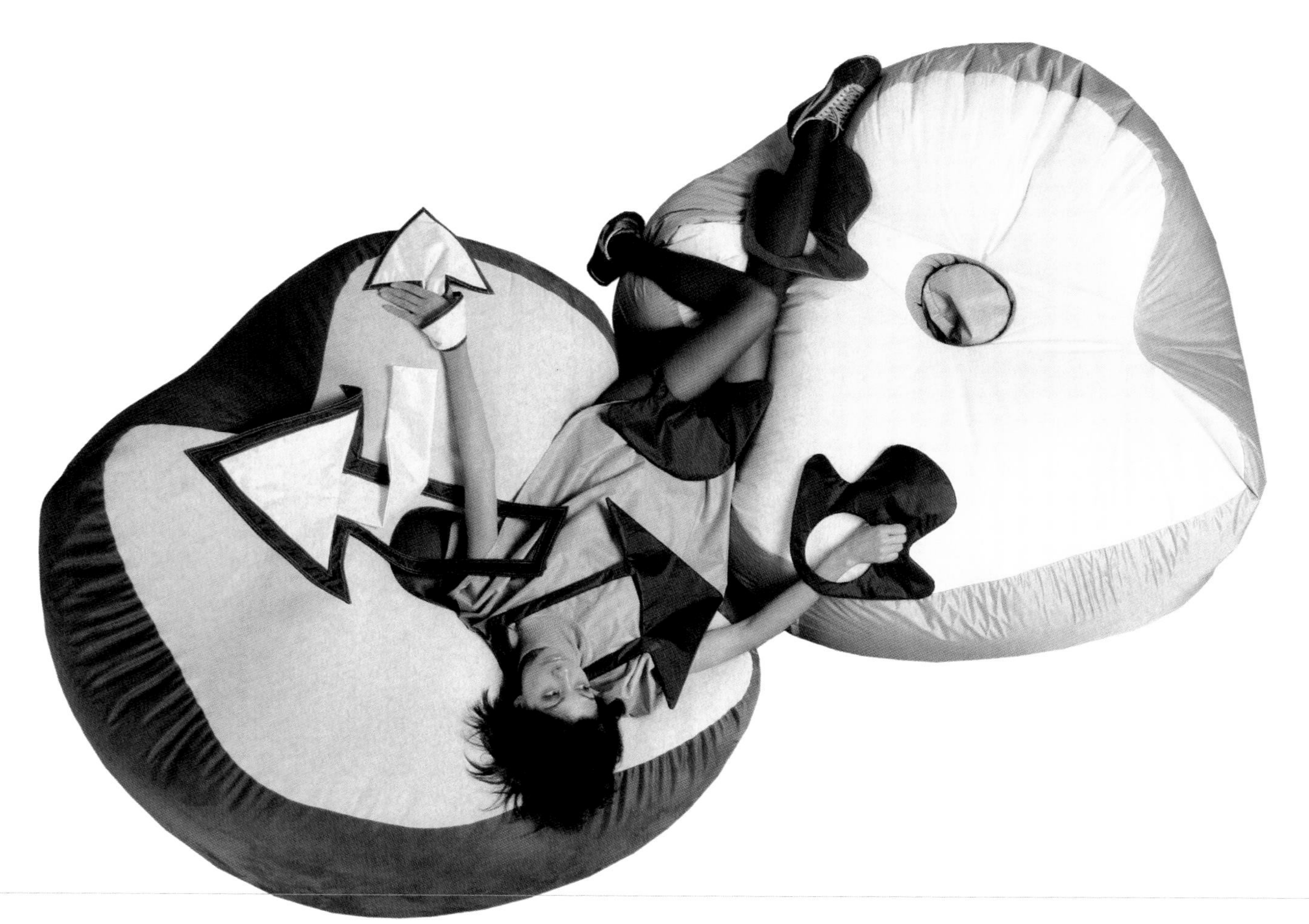

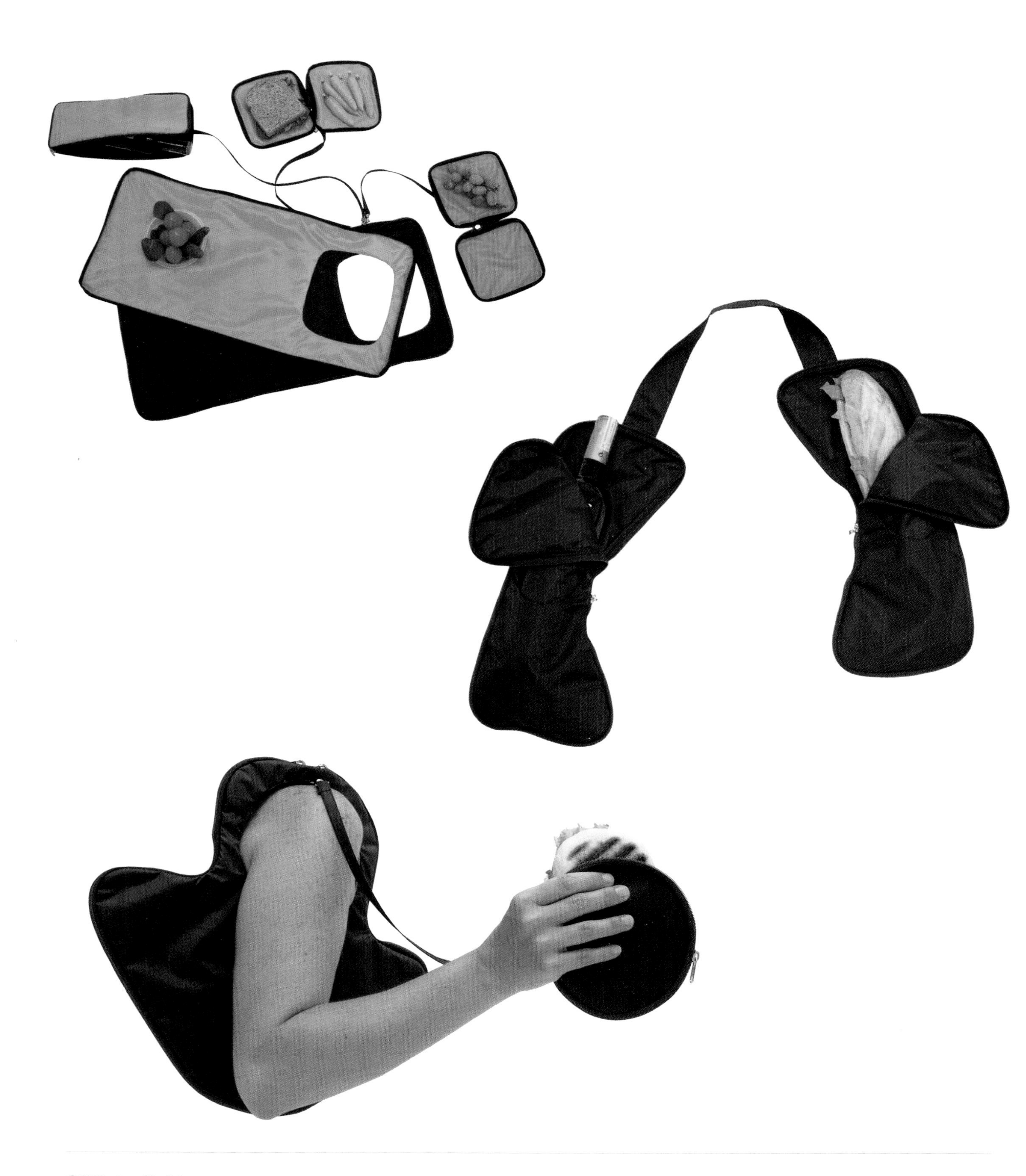

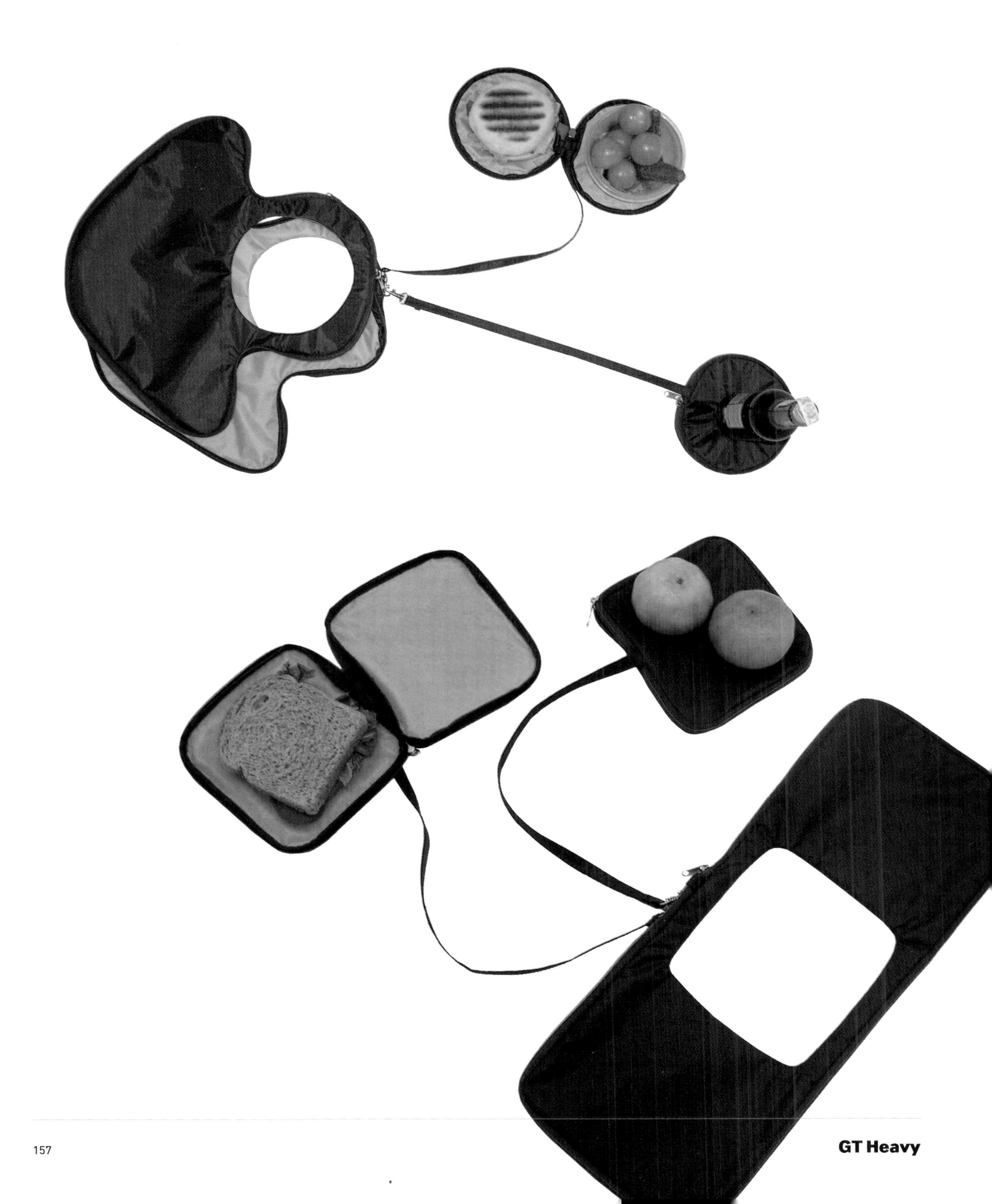

THOMAS BRATZKE

www.jazzstylecorner.com / Berlin, GERMANY

Room 411

Photos © Thomas Bratzke

For two weeks, Thomas Bratzke made long walks through the city of Copenhagen and collected all the prints he saw on the walls and any other surface of the city he considered to be "labels of the city", in order to stick them to the surface of his own graphic label he called "ZAST or ZASD". Using a rubbing technique, Thomas hung paper on the selected surfaces and with a thick marker, sometimes with just a little ink, he pressed the paper until the texture was marked on the paper. He decorated room 411 of Copenhagen's Fox Hotel with all this material using three-dimensional letters he built. He drew a line of points to unite all the pieces on the four walls of the room as if it were a map to represent his walks through the city. In the room, there was a small leaflet which invited each guest to look for the sites where Thomas "stole" the textures. In some way the artist was offering a sightseeing route which was not that spectacular but truly original and different.

Durante dos semanas Thomas Bratzke se dio largos paseos por la ciudad de Copenhagen y captó todas aquellas huellas que veía en las paredes de la ciudad y en otras superficies que el consideraba que eran las "etiquetas de la ciudad", para pegarlas en la superficie de propia etiqueta gráfica que llamó "ZAST o ZASD". Mediante una técnica de frote, Thomas pegaba papeles en las superficies escogidas y con un marcador (rotulador grueso), a veces con poca tinta, presionaba sobre el papel hasta que la textura quedaba marcada en el papel. Con todo ese material decoró la habitación 411 del Hotel Fox de Copenhagen utilizando letras que construyó tridimensionalmente. Dibujó una línea de puntos para unir todas las piezas de las cuatro paredes de la habitación como si fuera el mapa que representaba sus paseos por la ciudad. En la habitación se puede encontrar un pequeño folleto que invita a cada huésped a buscar los sitios en los Thomas "robó" las texturas. De alguna manera, el artista está ofreciendo un recorrido turístico no muy espectacular pero si original y diferente.

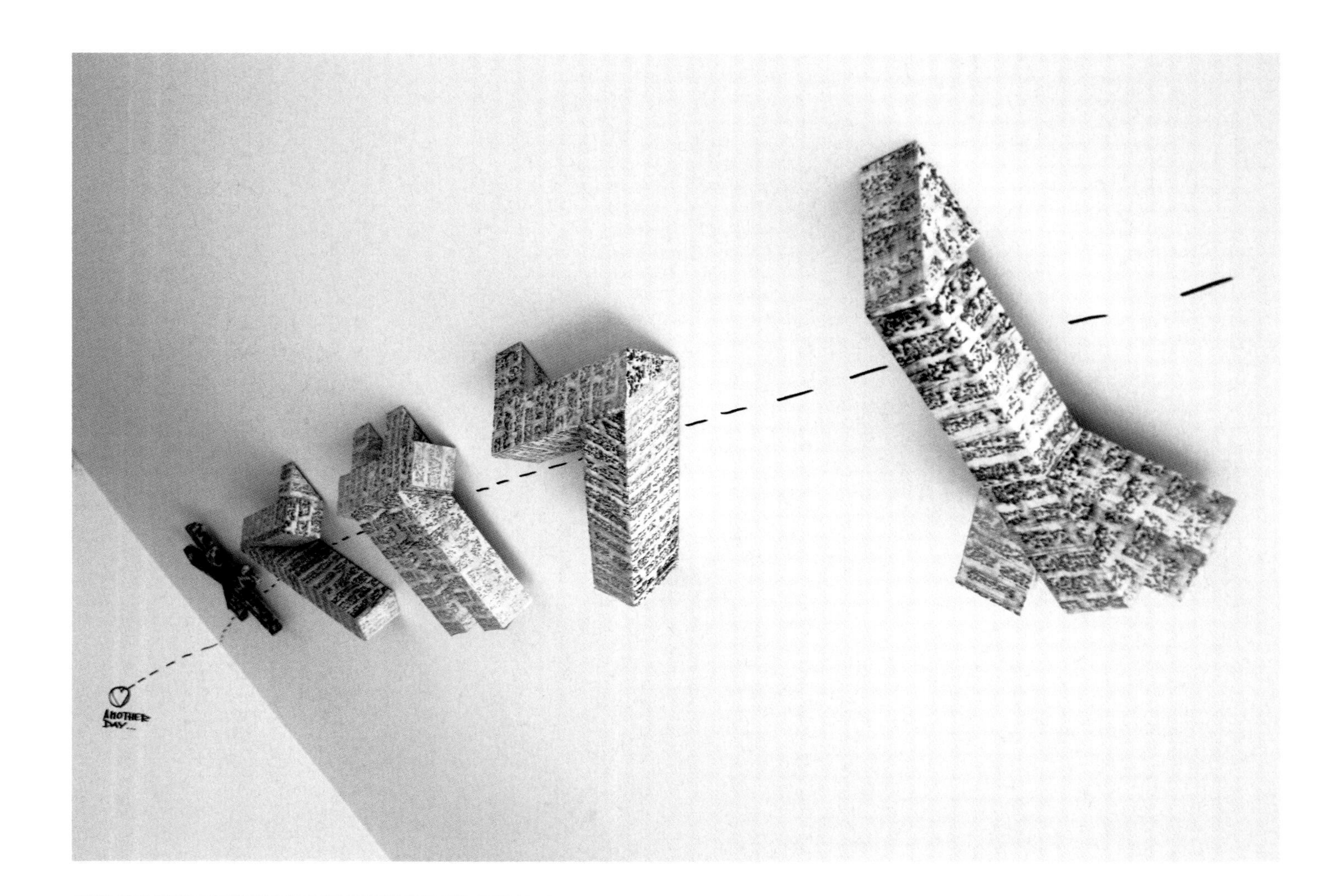

"NØRREBROGADE 156"

NØRREGADE 9
7.3.05
"JUST"
*ARRIVED!!!

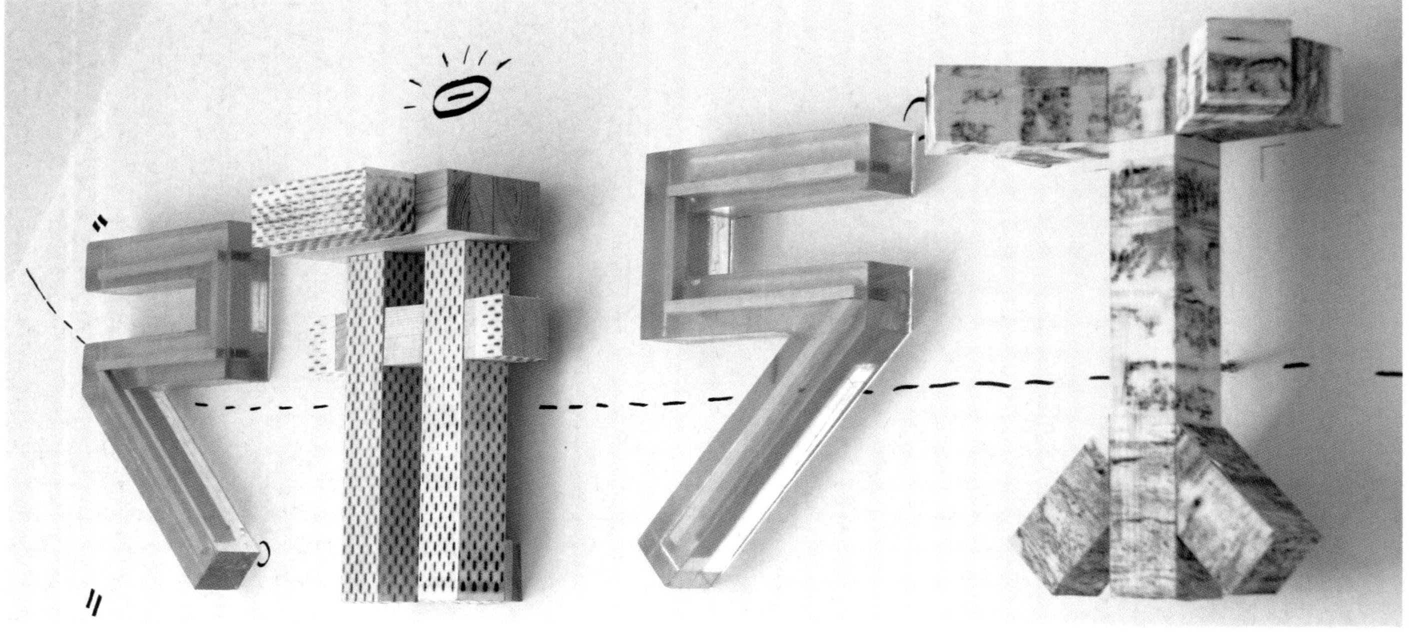

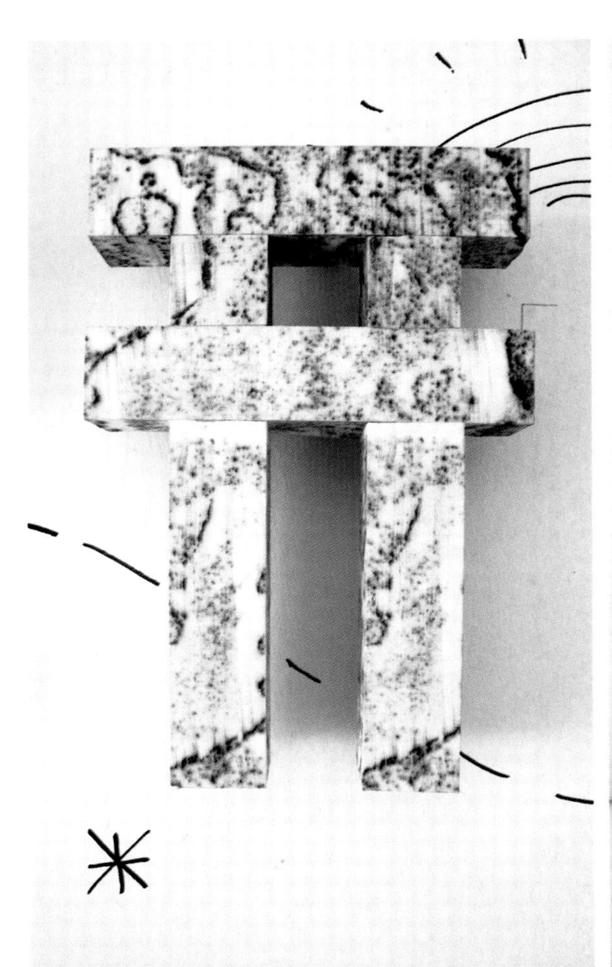

NYTORF 29...
7.3.05

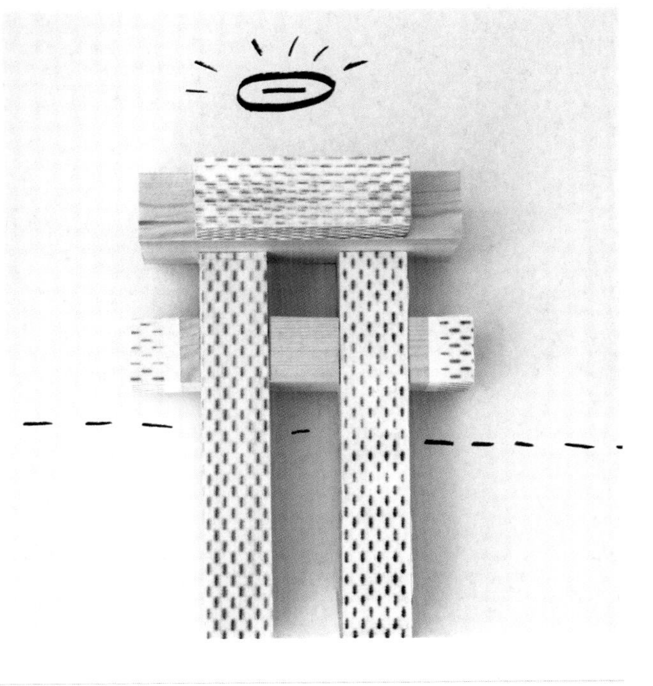

THOMAS BROOMÉ

www.thomasbroome.se / www.gallerimagnuskarlsson.com / Malmö, SWEDEN

ModernMantra

Thomas Broomé creates images from a minute illustration project using handwriting. With his own calligraphy, Thomas draws people and objects from capital letters, all with volume and perspective. This artist swaps the brush and pencil for letters using its own shape to create the curved or straight lines the drawings require. The text that gives shape to an object is always the name of that object and the size and proportion of each letter changes according to the shape it needs to represent the different objects of the image.

Thomas Broomé crea imágenes de un minucioso trabajo de ilustración a partir de la escritura manual. Mediante su propia caligrafía, Thomas dibuja con letras mayúsculas creando personas y objetos, todos ellos con volumen y perspectiva. Este artista cambia el pincel o el lápiz, por la letra, utilizando su propia forma para crear las direcciones, curvas o rectas, que requiera el dibujo. El texto que da forma a un objeto siempre es el nombre del objeto en sí y el tamaño y las proporciones de cada letra cambian según la forma que se necesite para representar los diferentes elementos de la imagen.

Hazlewood Light

TJEP.

www.tjep.com / Amsterdam, THE NETHERLANDS

Radio 1

Photos © Tjep.

Ever since Tjep. had it clear that to design the interior of the Radio 1 station, he would need to make the number one into a memorable symbol. He designed an enormous radio in the shape of the number one, which also had the functions of a light, and a beautiful wood and leather bench in the same shape of the number one but in horizontal. Despite the fact that each number was made in different materials and was customized for each object, the force of the base typography underscored the corporate nature the project required.

Desde Tjep. tenían muy claro que para diseñar el interiorismo de la emisora Radio 1, trabajarían para convertir el número uno en un signo memorable para ella. Diseñaron una enorme radio en forma de uno que también hace las funciones de lámpara y un bonito banco de madera y piel con la misma forma de número uno en horizontal. A pesar de que cada número se hizo con diferentes materiales y se customizó con distintos elementos, la fuerza de la tipografía tomada como base, realzó el carácter corporativo que requería el proyecto.

Hill Demi Bold

Love Heart

Photos © Tjep.

The word Love written in as many ways possible to say: I Love You! As true love never dies, this brooch was designed using different typographic fonts with the word Love and some classic symbols, like Cupid's arrow through a heart. The typeface in this case materialized in a precious jewel in the shape of a heart.

La palabra amor escrita en todos los modos posibles para decir: ¡Te Quiero!. Porque el verdadero amor nunca muere, este broche ha sido diseñado utilizando diferentes fuentes tipográficas con la palabra Love y algunos símbolos clásicos como el corazón atravesado por la flecha de cupido. La tipografía en este caso se materializa en una preciosa joya en forma de corazón.

TONE (OBJECT CREATION)

www.tone-objects.com / Lausanne, SWITZERLAND

Glowessence

Photos © Stéphane Dondicol

Created by designers Yves Morel and Sonia Biétry, this candleholder was designed in different colors with words and phrases in various languages, including Arabic script. The typeface used to describe the message of Glowessence was Helvetica, which had to be redesigned to have better legibility when the words were lit up on the table.

Creado por los diseñadores Yves Morel y Sonia Biétry, este porta-velas se diseñó en diferentes colores, con palabras y frases en lenguas distintas, incluso en caligrafía árabe. La tipografía usada para escribir los mensajes de Glowessence fue la Helvetica, que tuvo que ser rediseñada para obtener una mayor legibilidad cuando las palabras se iluminen sobre la mesa.

LA VIE EN ROSE …
BRILLER GLÄNZEN
DANKE GRAZIE MERCI
IS HERE THE SUMMER

UTA LISHCKE

www.tastaturschmuck.de / Bremen, GERMANY

Keyboard Jewelery

Photos © Johannes Eisele

This German artist recycles computer keyboards and typewriters to transform them into authentic pieces of jewelry. The idea came to her while walking down the street one day. She found a typewriter with a black keyboard and red letters, her two favorite colors, which appeared to have been thrown out the window. The apparently useless keyboard was what most intrigued her and she took it. From there, she began to collect different types of keyboards to create jewelry from the computer key, typewriters, calculators and automatic cash machines. Due to the neutrality of the typeface, she can combine letters to create names, words or message without removing too much importance from the jewelry.

Esta artista alemana, recicla teclados de ordenador y máquinas de escribir para transformarlos en auténticos objetos de joyería. La idea se le ocurrió cuando iba andando por la calle y se encontró con una máquina de escribir que tenía el teclado negro y las letras rojas, sus colores favoritos, y que parecía que había sido tirada por una ventana. El teclado aparentemente inútil fue lo que más le atrajo y se lo llevó. A partir de ahí, empezó a coleccionar diferentes tipos de teclados para crear joyas hechas a partir de teclas de ordenadores, máquinas de escribir, calculadoras y cajeros automáticos. Debido a la neutralidad de la tipografía, se pueden combinar letras para crear nombres, palabras y mensajes sin quitarle demasiado protagonismo a la joya.

VANESSA DE VARGAS

www.turquoise-la.com / Venice, CA. USA

Vintage Ottoman

Photos © Costas Voniatis

Vanesa De Vargas bought this ottoman primarily needing some urgent reupholster work from in a vintage furniture shop in Santa Barbara. As the designer's showroom already had many vintage pieces on display, she decided to seek out fabric which was different and out of the ordinary. Finally, she found a bath curtain designed by Jonathan Adler and she thought she could make the ottoman into something truly special. The colors of the typefaces had a certain vintage air, something which convinced the designer that the fabric would go very well with the style of the ottoman.

Vanesa De Vargas, compró en una tienda vintage de Santa Bárbara, este otomán que necesitó un trabajo principalmente de tapizado. Como en el showroom de la diseñadora se muestran artículos vintage, decidió buscar una tela que fuese diferente, que se saliera de lo común. Finalmente, encontró una cortina de baño diseñada por Jonathan Adler y pensó que se podría convertir en algo realmente especial. Los colores de las tipografías tenían cierto aire vintage hecho que terminó de convencer a la diseñadora de que la tela quedaría muy bien con el estilo del otomán.

Karniff Expanded Heavy

www.vier5.de / Paris, FRANCE

Posters & Invitation

Images posters & invitation (page 176 top right) © Vier5

The work of Vier5 is based on a classic design notion, the possibility to prepare and create new images seen within the field of visual communication. An additional focus of their work centers on the design and application of new updated fonts. Vier5 tries to avoid empty visual phases by replacing them with creative individual affirmations developed through the media they used and from their clients. All the typefaces in the series of posters for the Contemporary Art Center of Brétigny have been their own designs. They or their collaborators always design their own typefaces, and never work with existing ones.

El trabajo de Vier5 está basado en una clásica noción de diseño. Diseño como la posibilidad de preparar y crear nuevas imágenes encontradas dentro del campo de la comunicación visual. Un foco adicional de su trabajo se encuentra en el diseño y la aplicación de nuevas fuentes actualizadas. Vier5 pretende evitar frases visuales vacías sustituyéndolas por afirmaciones individuales creativas, que fueron desarrolladas por los medios usados y sus clientes. Todas las tipografías de esta serie de pósters para el Centro de Arte Contemporáneo de Brétigny han sido diseñadas por ellos mismos. Siempre diseñan sus propios tipos de letras, a veces lo hacen sus colaboradores, pero nunca trabajan con tipografías existentes.

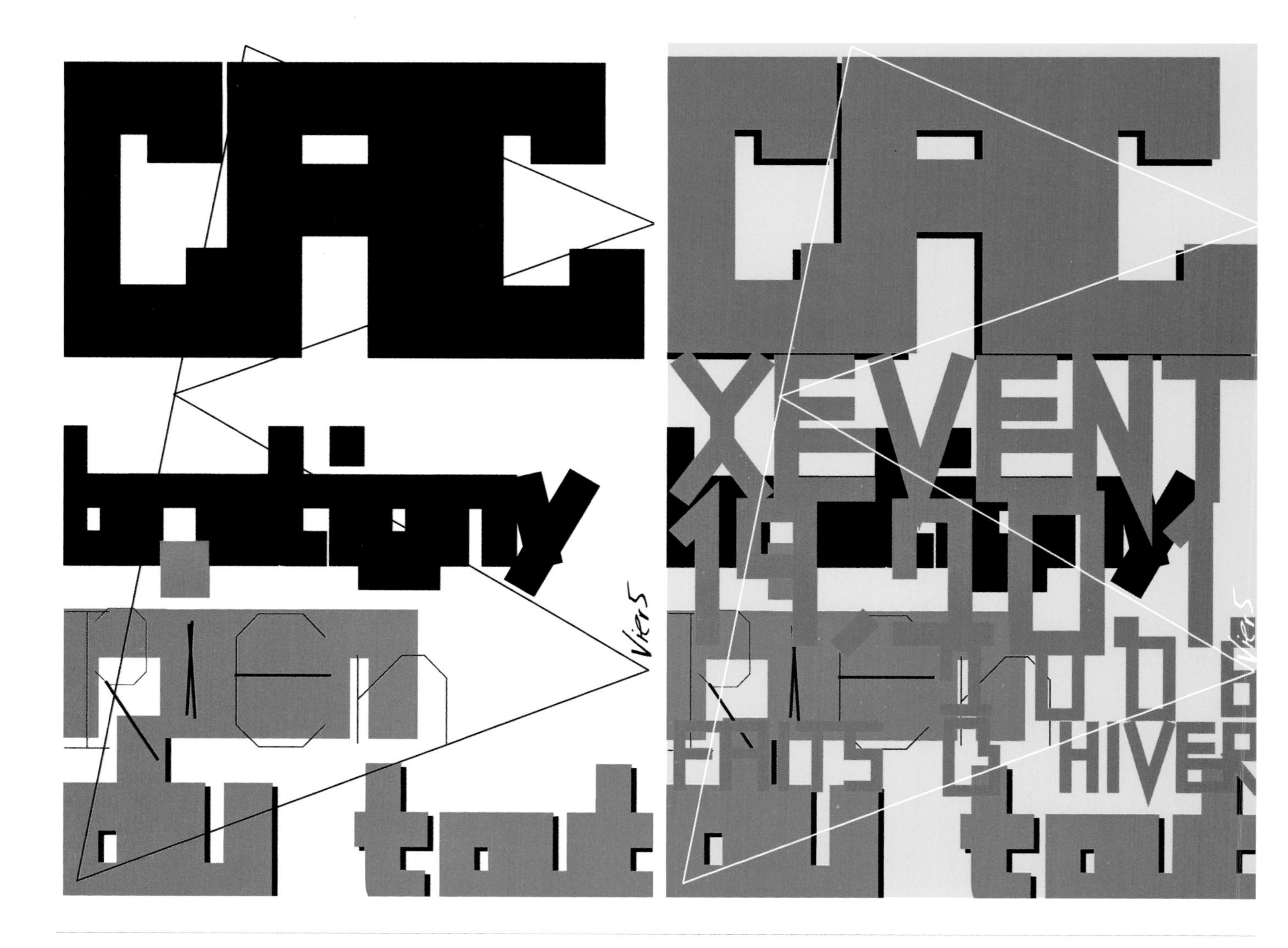

VIVANTE

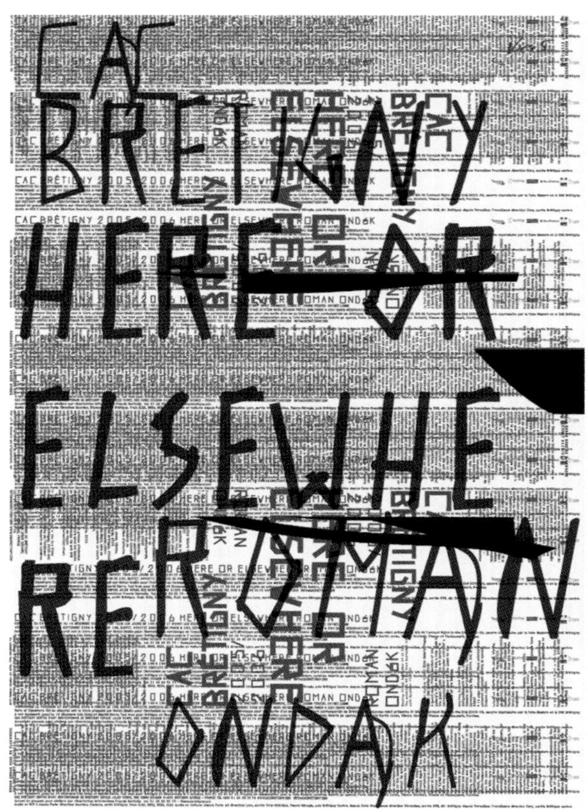
CAC
BRETIGNY
HERE OR
ELSEWHERE
ROMAN
ONDAK

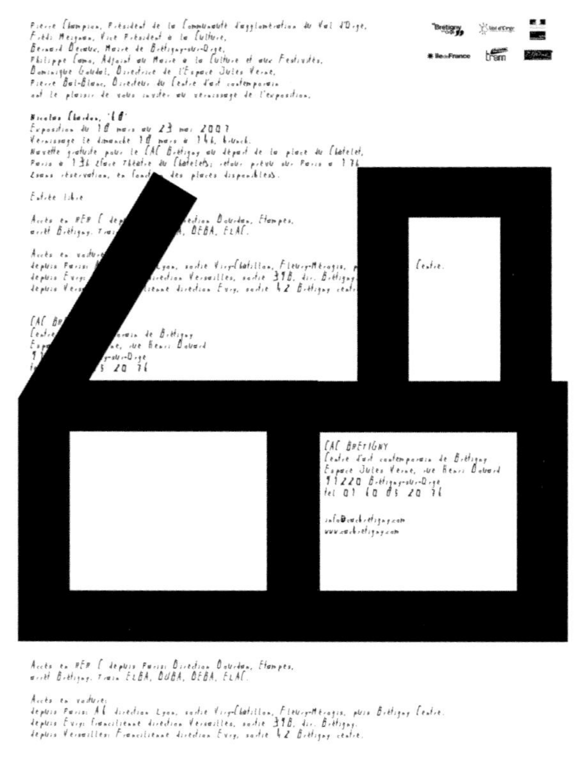
CAC BRETIGNY
Centre d'art contemporain de Brétigny
Espace Jules Verne, rue Henri Douard
91220 Brétigny-sur-Orge
tel 01 60 85 20 76
info@cacbretigny.com
www.cacbretigny.com

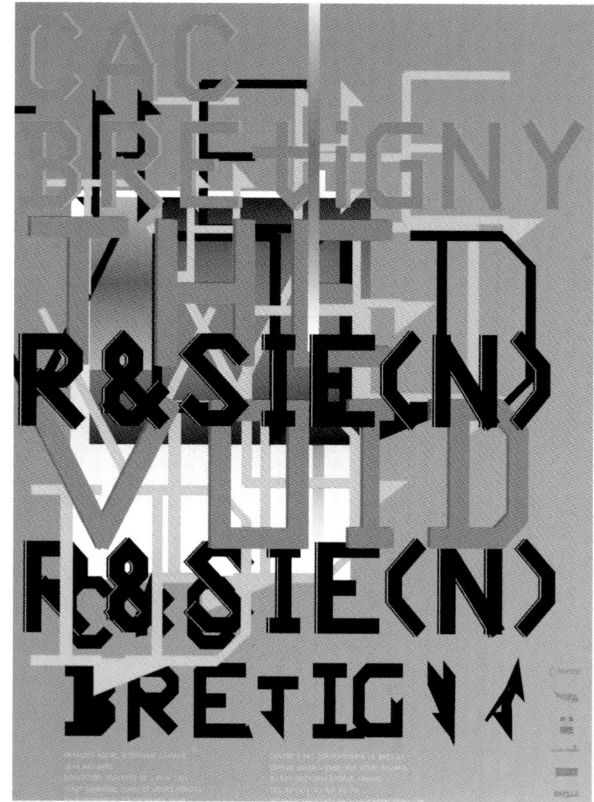
CAC
BRETIGNY
R&SIE(N)
VOID
R&SIE(N)

CAC
BRETIGNY
HERE OR
ELSEWHERE
ONDAK

220
mk2
tram
îledeFrance
Val d'Orge
Brétigny sur Orge
EXPOSITION
CAC BRETIGNY, Centre d'art contemporain de Brétigny, Espace Jules Verne,
Rue Henri Douard, 91220 Brétigny/Orge, France, Tel. 33 (0)1 60 85 20 76,
Fax 33 (0)1 60 85 20 90, info@cacbretigny.com, www.cacbretigny.com

WHY NOT ASSOCIATES & GORDON YOUNG

www.whynotassociates.com / www.gordonyoung.net / London, UK

A Flock of Words

Photos © Why Not Associates & Gordon Young

Why Not Associates, in collaboration with the artist Gordon Young, created this sidewalk built out of steel, brushed bronze, concrete and brass which had a series of poems, traditional sayings and lyrical songs engraved in it, all related to the world of birds. The text began with the book of Genesis and ranged from Shakespeare to Spike Milligan. Its objective was to provide a visual and thematic link between the city entrance, the rail station and parking lots, and the beach along a path which would inform, entertain, educate and stimulate. All the typefaces which formed part of the sidewalk were designed by Eric Gill: Gill Sans, Perpetua, Joanna and Aries. These typefaces were chosen because the route passed by the Midland Hotel whose interior was designed by Eric Gill. His fonts are both modern and classic and the result is as diverse as the sidewalk needed to be, as its content hearkened back to various historical eras.

Why Not Associates en colaboración con el artista Gordon Young, creó este pavimento construido con acero, latón granito, hormigón y bronce en el que se grabaron una serie de poemas, refranes tradicionales y canciones líricas, todos relacionados con el mundo de las aves. El texto empieza con el libro del Génesis y se extiende desde Shakespeare a Spike Milligan. Su objetivo es proporcionar un eslabón visual y temático entre los puntos de llegada a la ciudad, la estación de ferrocarril y los parkings con la playa en un camino que informa, entretiene, educa y estimula. Todas las tipografías que forman parte de este pavimento, han sido diseñadas por Eric Gill: Gill Sans, Perpetua, Joanna y Aries. Estas tipografías fueron elegidas porque el recorrido llega hasta el Midland Hotel donde Eric Gill diseñó los interiores. Sus fuentes son modernas y clásicas y el resultado es tan diverso como requería el pavimento, ya que su contenido pertenece a varias eras históricas.

FLYING,
ACROSS
MORECAMBE
BAY,

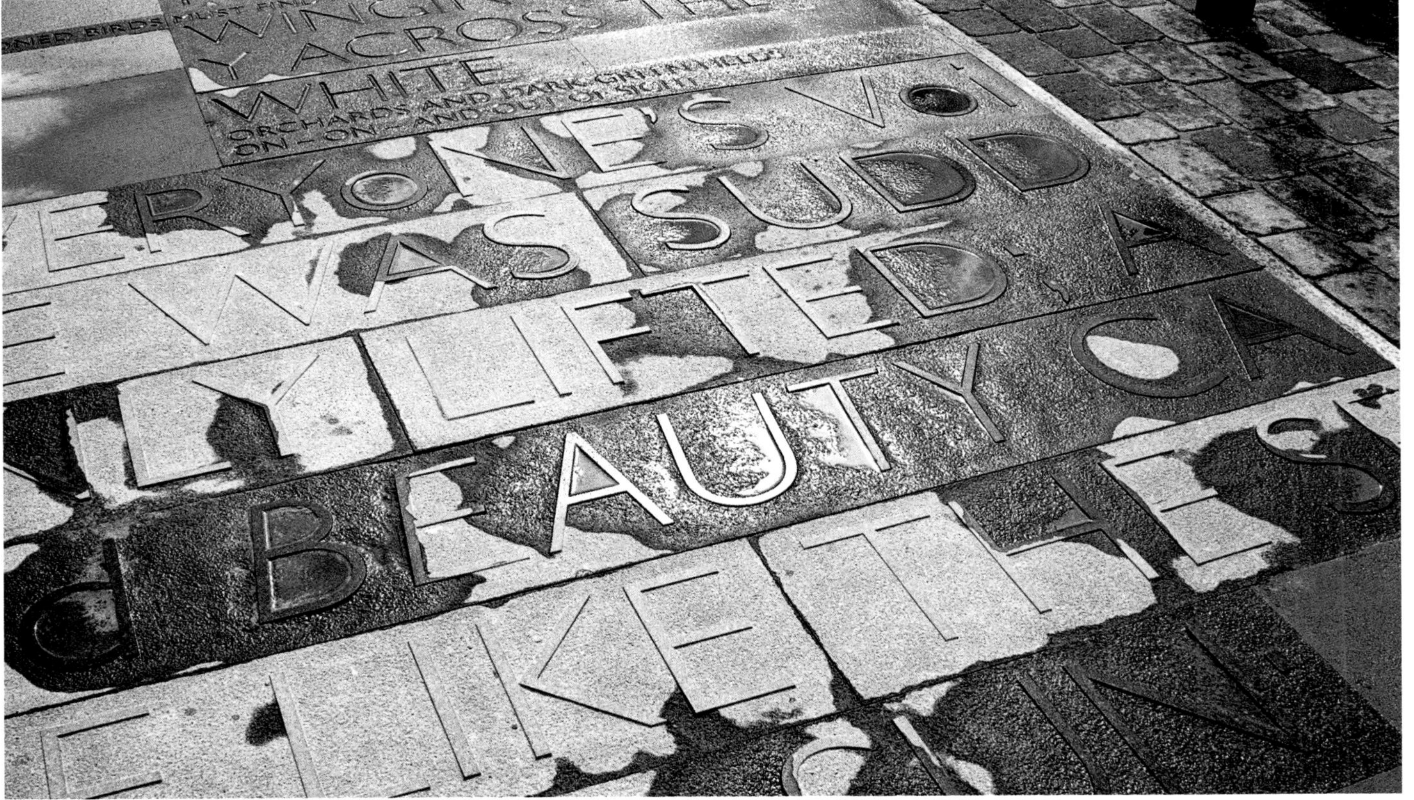
ACROSS
WHITE

Pobl + Machines

Photos © Gordon Young & Why Not Associates

The National Waterfront Museum of Swansea commissioned Gordon Young to create some sculptures for its museum grounds which would trace the industrial heritage of Wales. In collaboration with Why Not Associates, a series of typographic benches were developed that reflected the country's industrial past through the choice of the two words they used to create the shapes: Pobl (Welsh for people) + Machines. Each letter represents the name of an object in the museum collection and was made of stainless steel and concrete by the artist Russell Coleman. The design was based on Bifur, a typeface designed by M.A. Cassandre in 1929 whose letter shapes gave rise to the design of the seats. Its simplicity also helped make their manufacture much easier.

El National Waterfront Museum de Swansea le encargó a Gordon Young la creación de unas esculturas para los terrenos del museo, el cual traza la historia del patrimonio industrial galés. En colaboración con Why Not Associates, se desarrollaron una serie de bancos tipográficos que reflejan el pasado industrial del país a través de la elección de dos palabras que se usaron para crear las formas: Pobl (galés para la gente) + Machines. Cada letra representa el nombre de un objeto de la colección del museo y fueron construidas con acero inoxidable y hormigón por el artista Russell Coleman. El diseño está basado en la Bifur, una tipografía diseñada por M.A. Cassandre en 1929 que por la forma de sus letras sugirió el diseño de los asientos. Su simplicidad también contribuyó a que se pudieran fabricar con más facilidad.

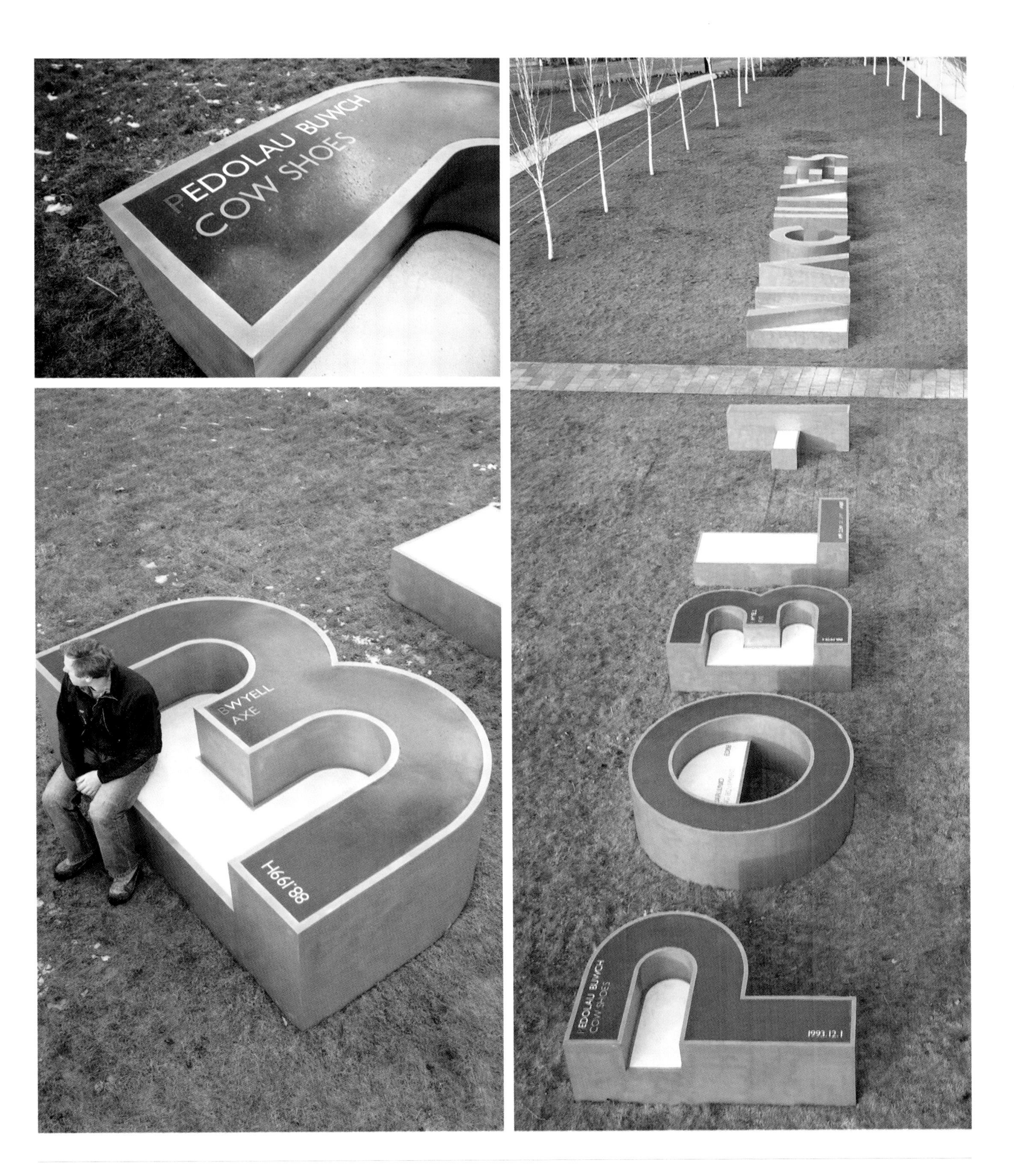
PEDOLAU BUWCH
COW SHOES
BWYELL
AXE
1991H.88
PEDOLAU BUWCH
COW SHOES
1993.12.1

Cursing Stone & Reiver Pavement

Photos © Gordon Young & Why Not Associates

In 1525, the Archbishop of Glasgow, Gavin Dunbar, coined the phrase "the mother of all curses" in reference to the Reivers, English and Scottish herd rustlers who had been terrorizing the border between the two nations. Gordon Young, born in Carlisle and descendant of a Reiver family, created this project to contribute to the millenary celebration of his native city, together with Why Not Associates. Young found the stone in Scotland, which originally weighed 14 tons and took 20 days to sculpt and polish so the text with the curse could be engraved on its surface. The stone is supported on a granite pavement 80 meters tons with the different surnames of the Reiver families engraved on the surface. The typeface used on the stone is Bembo because it was designed in the same century the events occurred and perfectly reflects the text aesthetic of that period. For the sidewalk, he chose the News Gothic, a more modern typeface.

En 1525, el Arzobispo de Glasgow, Gavin Dunbar, lanzó la frase "Madre de todas las Maldiciones" contra los Reivers, que eran usurpadores y ladrones de ganado ingleses y escoceses que tenían aterrorizada la frontera entre los dos países. Gordon Young, nacido en Carlisle y descendiente de una familia Reiver, realizó este proyecto como contribución al proyecto del milenario de su ciudad natal junto con Why Not Associates. Young encontró la piedra en Escocia, que originalmente pesaba 14 toneladas y tardó 20 días en esculpirla y pulirla para que el texto de la maldición pudiera ser grabado en su superficie. Esta piedra se apoya sobre un pavimento de granito de 80 metros de longitud, con los diferentes apellidos de las familias Reivers grabados en la superficie. La tipografía de la piedra es la Bembo, porque fue diseñada en el mismo siglo en el que ocurrió todo y refleja perfectamente la estética de los escritos de la época. Para el pavimento, se escogió la tipografía News Gothic, un tipo de letra más moderno.

cht, alswele within tempo
applearis, wittandlie resettaris
and their counsalouris and de
maggregeite, with the GREIT CUR
thair mouth, thair neise thai
thair bak, thair wame, thair
of thair heid to the soill of thai
rydand, I curse thaim standand,
walkand, I curse thaim sleepand,
I curse thaim within the house,
with thaim in thair
geise, thair hennys, and
thair all th
JOHNSTON
HARDEN
BRISCO
JAMIESON
BATEY
YOUNG
MILBURN
HEDLEY
TURNER
THOMSON
RUTHERFORD
NOBLE
DAVISON
JOHNSTON
HETHERINGTON
CHARLTON
SIMPS
HODGSON
BELL
CHAMBERLAIN
IRVINE
HODGSON

YOU ARE BEAUTIFUL

www.you-are-beautiful.com / Chicago, IL. USA

You Are Beautiful Installations

The aim of the You Are Beautiful project is reach the interior of the person as an individual and create positive moments of self-fulfillment. They only try to make the world a better place. Everything which has perceived value becomes merchandise so the creators had to work hard for their message to be received as nothing more than a simple act of kindness. Publicity is always seeking a purchase in the answer and this project instead looks for doing something. What You Are Beautiful wants to achieve is to promote a certain activism instead of consumerism. The project uses the advertising media and marketing to extend its positive message. Artist and anonymous people materialize the message You Are Beautiful in different typefaces on streets all over the work in order to interact with any ordinary person, waking up the feeling of positive attitudes and self-esteem.

La intención del proyecto You Are Beautiful es llegar al interior de uno mismo como individuo para crear momentos positivos de autorrealización. Solo pretenden hacer el mundo un poco mejor. Todo lo que tiene un valor percibido se convierte en mercancía y ellos trabajan con fuerza para que su mensaje sea recibido como un acto simple de bondad, y nada más. La publicidad siempre busca la respuesta para comprar, y este proyecto busca una respuesta para hacer algo. Lo que quieren conseguir desde You Are Beautiful, es impulsar el activismo en vez del consumismo. Este proyecto usa el medio de la publicidad y la comercialización para extender un mensaje positivo. Artistas y personas anónimas materializan el mensaje You Are Beautiful, con distintas tipografías en las calles de todo el mundo para interactuar con cualquier persona de a pié, despertando el sentimiento de positividad y autoestima.

Press Serif Pro Bold Italic

Press Serif Pro Italic

Insure by
773-645
855 W. WAS
$33.00
FREE PA
YOU ARE BEAUTIFUL

YOU ARE BEAUTIFUL

YOU ARE BEAUTIFUL

YOU ARE BEAU

VIZA-NOIR
SKIES
THU 7/10
beautiful

WARNING

Ambigram designed by Underware / www.underware.nl

PAGINATION
FONTS BY

FUENTES DE
PAGINACIÓN POR

Neo 2

www.neo2.es

Typefaces on pages 8 to 78 are designed by:

AIRLINE Typography Designed by Ipsum Planet for Neo2.

ALPHA FONT © Ipsum Planet 1998.

ARIA © Ipsum Planet 1999.

Asteroid © Ipsum Planet 1999.

BARCO.D.A Typography Designed by Pedro Pan to Ipsum Planet for Neo2.

BERT Typography Designed by A hundred dollars and a dog for Neo2.

BIT © Ipsum Planet 2000.

BROTHER Typography Designed by SLANG www.slanginternational.org for Neo2.

BUTTON © Ipsum Planet 1999.

CANALETTO Typography Designed by Ipsum Planet for Neo2.

CAVIAR FONT Typography Designed by TAUBA AUERBACH www.taubaauerbach.com for Neo2.

CICLO FONT Typography Designed by Ipsum Planet for Neo2 magazine.

DE STIJL © Ipsum Planet 2002.

DNNR Typography Designed by Ipsum Planet for Neo2.

ELO Typography Designed by Ipsum Planet for Neo2.

ERROR POSTCRIPT © Ipsum Planet 2001.

FUNK © Ipsum Planet 2001.

GET FREE Typography Designed by Jarrik Muller for Neo2 magazine.

HI-FI © Ipsum Planet 1999.

ICON FONT © Ipsum Planet 2001.

KASSETTE Typography Designed by Joe Scerri Design www.joescerridesign.com for Neo2 magazine.

MACIZA Typography Designed by Ipsum Planet for Neo2.

MAGNUM Typography Designed by JAlexander McCracken www.neutra.org for Neo2 magazine.

NAVIGATOR Typography Designed by Jose Luis Coyotl Mixcoatl / co_ld Desi(res)gn | Coyote Laboratory of Design & Desires www.coyotelabofdesign.com for Neo2.

NET_TYPE © Ipsum Planet 2000.

EURONEW © Ipsum Planet 1999.

ODISEA © Ipsum Planet 2001.

ORQUIDEA FONT Typography Designed by by Natalia Mirapeix Bedia for Neo2 magazine.

PIXAR FIVE © Ipsum Planet 1999.

QUINIELA © Ipsum Planet 2000.

REGALIZ Typography Designed by Ipsum Planet for Neo2.

ROTRING © Ipsum Planet 1999.

SALAMI FONT Typography Designed by Ipsum Planet for Neo2 magazine.

SECTOR-96 Typography Designed by Ipsum Planet for Neo2 magazine.

SLAVE™ Copyright © 2004 by meanworks™ / André Nossek designed for Neo2.

STROKES Typography Designed by Ipsum Planet for Neo2.

SUPERWEB ©Ipsum Planet 2000.

TCK 2000 © Ipsum Planet 1999.

TELETYPE Typography Designed by Ipsum Planet for Neo2.

tiPod Typography Designed by Ipsum Planet for Neo2.

TRACK © Ipsum Planet 1999.

VIDEO © Ipsum Planet 1999.

ZANG Typography Designed by Remco Van Bladel www.sonidogris.com for Neo2 magazine.

ZARAUTZ Typography Designed by Ipsum Planet for Neo2.

Underware

e-Types

THANKS, GRACIAS

Many thanks to all the designers, artists, studios, and agencies for their collaboration and to their press agents for their great help. To all those who have not appeared in the credits but have been indispensable in carrying out this project.
To Louis for his advice and unconditional support.

Muchas gracias a todos los diseñadores, artistas, estudios y agencias de diseño por su colaboración y a sus agentes de prensa por su gran ayuda. A todas las personas que no aparecen en los créditos pero que han sido imprescindibles para llevar a cabo este proyecto.
A Louis por sus consejos y su apoyo incondicional.